PRÉPARATION
CERTIFICATION
Français Langue Étrangère
DELF-DALF

B1

Le
DELF
100% réussite

Bruno Girardeau
Émilie Jacament
Marie Salin

didier
Français Langue Étrangère

_____ Références photographiques _____

9		danwilton/Istock
10		IconWeb - Fotolia.com
38		Corina_Dragan - iStock Photo
40		Corina_Dragan - iStock Photo
41		Ümit Büyüköz - iStock Photo
41		g-stockstudio-Fotolia.com
47		ugrum1 - Fotolia.com
48	bd	Hanna Alandi - Fotolia.com
48	hd	Andrey Popov - Fotolia.com
48	mg	fotokretin26 - Fotolia.com
53		« Immeubles en fête - la fête des voisins », Association « Voisins Solidaires »
56		michaelheim - Fotolia.com
60		Nastasia Froloff - Fotolia.com
61	bd	Nuvola - Fotolia.com
61	hd	sylv1rob1 - Fotolia.com
61	md	Photofollies - Fotolia.com
65		reichdernatur - Fotolia.com
73		Rostichep - Fotolia.com
76		Corina_Dragan - iStock Photo
78		Corina_Dragan - iStock Photo
79		bikeriderlondon/Shutterstock
82		zakiroff - Fotolia.com
83		Photographee.eu - Fotolia.com
84		thodonal - Fotolia.com
85		Tomasz Zajda - Fotolia.com
87		WavebreakmediaMicro - Fotolia.com
89	bd	Firma V - ShutterStock
89	bg	viperagp - Fotolia.com
89	hd	BillionPhotos.com - Fotolia.com
89	hg	Pascal Martin - Fotolia.com
89	md	Elzbieta Sekowska - ShutterStock
89	mg	DreamLand Media - ShutterStock
90	hd	Warut Chinsai - ShutterStock
90	hg	olly - Fotolia.com
90	md	Pictures news - Fotolia.com
90	mg	WavebreakmediaMicro - Fotolia.com
91		Monkey Business - Fotolia.com
92		Kurhan - Fotolia.com
93		Mascha Tace - ShutterStock
94		kisara - Fotolia.com
95		Kurhan - Fotolia.com
96		chachanit - Fotolia.com
98	hd	radoma - Fotolia.com
98	mg	michael spring - Fotolia.com
99		undrey - Fotolia.com
100		Pétrouche - Fotolia.com
101		Yves Damin - Fotolia.com
102		Corina_Dragan - iStock Photo
104		Corina_Dragan - iStock Photo
105		Piksel - iStock Photo
108		Erica Guilane-Nachez - Fotolia.com
109	A	uwimages - Fotolia.com
109	B	philippe Devanne - Fotolia.com
109	C	Igor Mojzes - Fotolia.com
109	D	Christophe Fouquin - Fotolia.com
109	E	EpicStockMedia - Fotolia.com
109	F	industrieblick - Fotolia.com
109	G	PRILL Mediendesign - Fotolia.com
109	H	lukasx - Fotolia.com
110	A	erika8213 - Fotolia.com
110	B	Andrzej Tokarski - Fotolia.com
110	C	Microgen - Fotolia.com
110	D	milamon0 - Fotolia.com
110	E	danmir12 - Fotolia.com
110	F	destina - Fotolia.com
110	G	Voyagerix - Fotolia.com
110	H	emmi - Fotolia.com
110	I	Sergey Tokarev - Fotolia.com
110	J	ajlatan - Fotolia.com
110	K	TTstudio - Fotolia.com
110	bg	popaye - Fotolia.com
111		LuckyImages - Fotolia.com
112		mokee81 - Fotolia.com
113	bd	adam121 - Fotolia.com
113	hd	Jacek Chabraszewski - Fotolia.com
113	hg	franzdell - Fotolia.com
113	hm	cherezoff - Fotolia.com
113	md	skumer - Fotolia.com
113	mg	gkrphoto - Fotolia.com
113	mm	nataljagolubova - Fotolia.com
115		n3d-artphoto.com - Fotolia.com
117		RG - Fotolia.com
118		Image Source/Photononstop
119		graphlight - Fotolia.com
120		Mathieu LEDOUX - Fotolia.com
121		boygostockphoto - Fotolia.com
123		the_lightwriter - Fotolia.com
125	bg	leungchopan - Fotolia.com
125	hg	sepy - Fotolia.com
125	mg	vadymvdrobot - Fotolia.com
129		beatrice binnert - Fotolia.com
132		S.Kobold - Fotolia.com
134		Monkey Business - Fotolia.com
135		highwaystarz - Fotolia.com
136		Corina_Dragan - iStock Photo
138		Corina_Dragan - iStock Photo

PAPIER À BASE DE FIBRES CERTIFIÉES

éditions didier s'engagent pour l'environnement en réduisant l'empreinte carbone de leurs livres. Celle de cet exemplaire est de :

1,1 kg éq. CO$_2$

Rendez-vous sur
www.editionsdidier-durable.fr

Conception maquette intérieure et couverture : **Primo & Primo**
Mise en page : **Franck Delormeau**
Édition : **Christine Delormeau** — Atelier **DES 2 ORMEAUX**

« Le photocopillage, c'est l'usage abusif et collectif de la photocopie sans autorisation des auteurs et des éditeurs. Largement répandu dans les établissements d'enseignement, le photocopillage menace l'avenir du livre, car il met en danger son équilibre économique. Il prive les auteurs d'une juste rémunération. En dehors de l'usage privé du copiste, toute reproduction totale ou partielle de cet ouvrage est interdite. »

« La loi du 11 mars 1957 n'autorisant, aux termes des alinéas 2 et 3 de l'article 41, d'une part, que les copies ou reproductions strictement réservées à l'usage privé du copiste et non destinées à une utilisation collective » et, d'autre part, que les analyses et courtes citations dans un but d'exemple et d'illustrations, « toute représentation ou reproduction intégrale, ou partielle, faite sans le consentement de l'auteur ou de ses ayants droits ou ayants cause, est illicite. » (alinéa 1er de l'article 40) – « Cette représentation ou reproduction par quelque procédé que ce soit, constituerait donc une contrefaçon sanctionnée par les articles 425 et suivants du Code pénal. »

© Les Éditions Didier, Paris 2016 – ISBN 978-2-278-08627-6

Achevé d'imprimer en mars 2019 par Macrolibros, Espagne - Dépôt légal 8627/05

AVANT-PROPOS

— Qu'est-ce que le DELF ?

Le DELF, diplôme d'études en langue française, est une certification officielle en français langue étrangère du ministère français de l'Éducation nationale. C'est un diplôme internationalement reconnu qui permet de valider votre niveau de français auprès d'universités ou d'écoles, d'employeurs ou d'administrations dans le monde.

Ce diplôme est valable sans limitation de durée.

— Quels sont les niveaux du DELF ?

Le DELF est constitué de 4 diplômes : Prim, scolaire et Junior, Pro, tout public.

Ils correspondent aux niveaux du *Cadre européen commun de référence pour les langues* (CECRL) : DELF A1, DELF A1.1, DELF A2, DELF B1, DELF B2.

Chaque diplôme évalue les 4 compétences : compréhension et production orales, compréhension et production écrites. L'obtention de la moyenne (50 points sur 100) à l'ensemble des épreuves permet la délivrance du diplôme correspondant.

— Où passer le DELF ?

Vous pouvez passer le DELF dans près de 175 pays. Vous devez vous inscrire dans un des 1 190 centres d'examen agréés par le CIEP. Pour connaître ces centres et leurs tarifs, consultez le site du CIEP à l'adresse suivante : http://www.ciep.fr/delf-tout-public/coordonnees-centres-examen.

COMMENT SE PRÉPARER ?

Ce livre peut être utilisé en autonomie ou en classe avec un enseignant. Il est réparti en quatre compétences comme l'examen.

Nous vous proposons une démarche en 4 étapes :

▶ **Comprendre** : une double page qui présente l'épreuve par compétence, les savoir-faire, les exercices et les documents, la consigne générale et des exemples de questions/réponses.

▶ **Se préparer** : des activités pour acquérir les savoir-faire indispensables pour réussir.

▶ **S'entraîner** : des activités proches de l'examen avec des conseils méthodologiques.

▶ **Prêt pour l'examen !** mémoriser l'essentiel : vocabulaire, grammaire, conseils, etc.

Alors, prêt pour l'examen ?

SOMMAIRE

1 Compréhension de l'oral 9

COMPRENDRE 10

SE PRÉPARER 12

1. Comprendre un échange formel, informel 12
2. Comprendre un déplacement, un voyage 14
3. Comprendre un sentiment, une émotion 15
4. Comprendre une réussite 17
5. Comprendre une appréciation 19
6. Comprendre un désaccord 20
7. Comprendre une histoire racontée 22
8. Comprendre un échange de points de vue 24
9. Comprendre une probabilité, une éventualité 26

S'ENTRAÎNER 28

PRÊT POUR L'EXAMEN ! 38

2 Compréhension des écrits 41

COMPRENDRE 42

SE PRÉPARER 44

1. Lire pour s'orienter 44
2. Lire pour s'informer 50

S'ENTRAÎNER 60

PRÊT POUR L'EXAMEN ! 76

PISTE 1

Le picto 🎧 vous indique le numéro de la piste à écouter pour faire l'activité.

3 Production écrite 79

COMPRENDRE 80

SE PRÉPARER 82

1. Écrire un texte construit 82
2. Décrire, exposer des faits 84
3. Raconter une situation passée ou possible 86
4. Exprimer des sentiments 91

S'ENTRAÎNER 94

PRÊT POUR L'EXAMEN ! 102

4 Production orale 105

COMPRENDRE 106

SE PRÉPARER 108

1. Préparer l'entretien dirigé 108
2. Préparer l'exercice en interaction 114
3. Préparer le monologue suivi 119

S'ENTRAÎNER 126

PRÊT POUR L'EXAMEN ! 136

5 Épreuves blanches 139

Auto-évaluation 139
Épreuve blanche 1 DELF tout public 140
Épreuve blanche 2 DELF Pro 151

Transcriptions 162
Corrigés 173

S'INFORMER SUR LE DELF

_ L'examen du DELF, comment ça se passe ?

L'examen dure 1 h 45. Il y a une épreuve pour chacune des quatre compétences.
Il y a des épreuves collectives et une épreuve individuelle (production orale).

▶ Vous allez passer les 3 épreuves collectives dans l'ordre suivant :

1. La compréhension de l'oral : écouter et compléter les questionnaires

2. La compréhension des écrits : lire des documents et compléter les questionnaires

3. La production écrite : écrire un texte d'expression personnelle

▶ Vous allez passer l'épreuve individuelle qui se déroulera en quatre temps :

1. Préparation : vous avez 10 minutes pour préparer l'exercice 3

2. L'entretien dirigé : échanger avec l'examinateur et parler de soi

3. L'exercice en interaction : tirer au sort 2 sujets et participer à un jeu de rôle avec l'examinateur pour résoudre une situation de la vie quotidienne

4. L'expression d'un point de vue : tirer au sort deux documents et exposer son point de vue à partir d'un bref document écrit

Entraînez-vous dans les conditions réelles de l'examen avec deux épreuves blanches complètes (dont une DELF Pro B1) à la fin de l'ouvrage à partir de la page 140.

Retrouvez également deux épreuves blanches interactives (dont une DELF Pro B1) sur http://www.didierfle-nomade.fr.

QU'EST-CE QUE LE NIVEAU B1 ?

Le *Cadre européen commun de référence pour les langues* définit le niveau B1 comme celui d'un utilisateur indépendant. Cet utilisateur :

- Peut comprendre les points essentiels quand un langage clair et standard est utilisé et s'il s'agit de choses familières dans le travail, à l'école, dans les loisirs, etc.
- Peut se débrouiller dans la plupart des situations rencontrées en voyage dans une région où la langue cible est parlée.
- Peut produire un discours simple et cohérent sur des sujets familiers et dans ses domaines d'intérêt.
- Peut raconter un événement, une expérience ou un rêve, décrire un espoir ou un but et exposer brièvement des raisons ou explications pour un projet ou une idée.

Niveau B1 du *Cadre européen commun de référence pour les langues*

Voici le détail des 4 compétences que vous aurez le **jour J** :

Nature des épreuves	Durée	Note sur
Compréhension de l'oral Réponse à des questionnaires de compréhension portant sur trois documents enregistrés ayant trait à des situations de la vie quotidienne. (2 écoutes) *Durée maximale des documents : 6 minutes*	25 minutes environ	.../25
Compréhension des écrits Réponse à des questionnaires de compréhension portant sur deux documents écrits : – dégager des informations utiles par rapport à une tâche donnée ; – analyser le contenu d'un document d'intérêt général.	35 minutes	.../25
Production écrite Expression d'une attitude personnelle sur un thème général (essai, courrier, article…).	45 minutes	.../25
Production orale Épreuve individuelle en trois parties : – entretien dirigé – exercice en interaction – expression d'un point de vue à partir d'un document déclencheur	15 minutes environ Préparation : 10 minutes *(ne concerne que la 3ᵉ partie de l'épreuve)*	.../25
	NOTE TOTALE	**.../100**

Seuil de réussite pour obtenir le diplôme : **50/100**

Note minimale requise par épreuve : **5/25**

Durée totale des épreuves collectives : **1 heure et 45 minutes**

Pour l'évaluation des épreuves de production écrite et de production orale, l'enseignant est invité à télécharger les grilles d'évaluation expliquées sur le site des Éditions Didier www.editionsdidier.com dans la collection *Le DELF 100% réussite*.

Compréhension
de l'oral

COMPRENDRE

L'ÉPREUVE

La compréhension orale est la première épreuve collective de l'examen du DELF B1.

Durée totale de l'épreuve	**25 minutes environ**
Nombre de points	**25 points**
Nombre d'exercices	**3 exercices**
Nombre de documents à écouter	**3 documents**
Nombre d'écoutes	**2 écoutes pour chaque document**
Durée totale des enregistrements	**6 minutes**
Quand lire les questions ?	**Avant d'entendre les documents puis 30 secondes (exercices 1 et 2) et 1 minute (exercice 3) pour les relire**
Quand répondre aux questions ?	**d'abord 30 secondes pour répondre puis 1 minute (exercices 1 et 2) ; d'abord 3 minutes pour répondre puis 2 minutes (exercice 3)**

Objectifs des exercices

Exercice 1   **Comprendre une interaction entre locuteurs natifs (domaine personnel / éducationnel)**

Exercice 2   **Comprendre des émissions de radio et des enregistrements (domaine professionnel)**

Exercice 3   **Comprendre des émissions de radio et des enregistrements (domaine public)**

LES SAVOIR-FAIRE

Il faut principalement être capable de :

Identifier les informations principales

- Les études sont le principal facteur d'angoisse.
- 1 journaliste / 1 spécialiste

Identifier :

- le sens général : Quoi ?
- les locuteurs : Qui ?
- l'intention des interlocuteurs : Pourquoi ?
- les différents points de vue : Comment ?

Identifier les idées et les opinions

- Le stress provoque l'insomnie.
- Le spécialiste pense que les gens peuvent tomber malades.
- Les étudiants français dorment trop peu.

Extraire des informations précises

- Près d'un étudiant français sur 2 dort mal à cause du stress.
- 15 % se réveillent en pleine nuit.

LES EXERCICES ET LES DOCUMENTS

	Supports possibles	Type d'exercice	Nombre de points
Exercice 1 **Comprendre une interaction entre locuteurs natifs** DOMAINE PERSONNEL OU ÉDUCATIONNEL	Dialogue de la vie quotidienne et scolaire/étudiante Interaction formelle ou informelle Thèmes : famille, loisirs, sport, voyages, orientation, formation	Un questionnaire	6 points
Exercice 2 **Comprendre des émissions de radio et des enregistrements** DOMAINE PROFESSIONNEL	Monologue continu ou interaction entre journaliste et invité Thèmes présentant des informations sur les sujets relatifs à la vie professionnelle : réunion, salon, commercialisation, consommation, entretien…	Un questionnaire	8 points
Exercice 3 **Comprendre des émissions de radio et des enregistrements** DOMAINE PUBLIC	Interview, bulletin d'informations Thème : événements publics, spectacles, compétitions, vacances, santé, police, transports…	Un questionnaire	11 points

LA CONSIGNE

Une consigne générale est toujours écrite au début du questionnaire et entendue dans le document sonore. Vous la lisez et l'écoutez. Attention, pour le troisième exercice, les durées d'écoute, de pause sont plus longues.

LES QUESTIONS ET LES RÉPONSES

Les questions sont toujours dans l'ordre du document (sauf la première question portant sur le sens général). Les réponses aussi.

Les questions se présentent sous 2 formes :

– les questions à choix multiples (QCM) :

Sélectionner la bonne réponse parmi les trois choix. Il n'y a qu'une seule réponse correcte.

– les questions à réponse ouverte courte (QROC) :

Pour répondre à une QROC, vous écrivez un ou plusieurs mots.

Exemple : Où vont Quentin et Julie ? …*À la banque*

Attention aux QROC qui précisent le nombre de réponses attendues.

Exemple 1 : Quelles sont les deux qualités de Jamal ?
…*Généreux ET optimiste*

Exemple 2 : Que veut lire le directeur ? Citez les 2 documents :
…*Rapport ET budget*

Exemple 3 : Que fait Rita le week-end ? 2 réponses possibles :
…*Peinture (OU cuisine)*

PRÊT POUR L'EXAMEN

❶ Bien gérer les **25 minutes** de l'épreuve.
❷ Lire les questions avant la première écoute pour anticiper le contenu.
❸ Compléter les réponses les plus faciles après la première écoute.
❹ Utiliser la seconde écoute pour compléter les questions.
❺ Donner des réponses simples et précises pour les QROC.
❻ Ne pas perdre de temps avec l'orthographe ou la grammaire.

1 Comprendre un échange formel, informel

— **Identifier la fonction des locuteurs**

PISTE 2

Activité 1

1. Écoutez une fois ce dialogue. Répondez aux questions.

a - Qui sont les deux personnes qui parlent ?

Homme : ....

Femme : ....

b - De qui parlent-ils ?

....

c - Pour la femme, le problème concerne quoi ?

☐ Le travail.

☐ La maladie.

☐ Le comportement.

2. Lisez d'abord les questions ci-dessous puis écoutez encore une fois le dialogue. Répondez aux questions.

a - L'homme est surpris d'être à ce rendez-vous. Pourquoi ?

....

b - Que raconte la femme à l'homme ?

....

c - Finalement, d'après l'homme, quelle nouvelle peut expliquer le problème ?

....

— **Identifier une situation d'échange**

PISTE 3

Activité 2

1. Écoutez le dialogue une fois et choisissez la bonne réponse.

a. Où sont Cindy et Thomas ?

☐ À la poste.

☐ Dans la rue.

☐ Chez eux.

b. Cindy et Thomas sont-ils :

☐ frère et sœur ?

☐ parent et enfant ?

☐ mari et femme ?

c. Qu'est-ce qu'il y a dans le paquet ?

☐ Une lettre.

☐ Un cadeau.

☐ Une lettre et un cadeau.

2. Écoutez le dialogue encore une fois. Répondez aux questions avec un ou deux mots. Ne faites pas de phrase complète.

a - Qui offre un cadeau ?

....

b - Pour quelle raison ?

....

PISTE 4 Activité 3

1. Écoutez le dialogue une fois et choisissez la bonne réponse.

☐ C'est un dialogue entre un vendeur et une cliente.

☐ C'est une rencontre entre deux amis.

☐ C'est un échange entre deux inconnus.

2. Pour préciser la situation, écoutez le dialogue encore une fois. Répondez aux questions.

a - Quelle est l'activité de l'homme ?

....

b - Quel est le projet de l'homme ?

....

c - À la fin du dialogue, la femme est…

☐ inquiète.

☐ satisfaite.

☐ heureuse.

2 Comprendre un déplacement, un voyage

— Identifier un lieu, un espace

PISTES 5, 6, 7

Activité 4

1. Écoutez une fois ces trois dialogues. Associez le numéro du dialogue à un lieu.

Dialogue 1 •
            • à la gare

Dialogue 2 •
            • dans une maison

Dialogue 3 •
            • dans un musée

            • dans un magasin

PISTE 5

2. Écoutez le dialogue 1 encore une fois. Pensez à noter les mots clés. Répondez à la question. Quelles sont les trois informations nécessaires à David ?

a - ....

b - ....

c - ....

PISTE 6

3. Écoutez le dialogue 2 encore une fois. Répondez à la question.
Le jeune homme se trouve…

☐ au rez-de-chaussée.

☐ au premier étage.

☐ au deuxième étage.

PISTE 7

4. Écoutez le dialogue 3 encore une fois. Répondez aux questions. On parle de deux personnes.

a - Où se trouve exactement la première personne ?

....

b - Que fait la seconde personne ? Où se trouve-t-elle ?

....

— Identifier un mouvement

PISTE 8

Activité 5

1. Écoutez une fois ce dialogue. Concentrez-vous sur la description des activités. Répondez aux questions.

a. Quelles activités ont fait Hélène et Clara ?

Hélène : ....

Clara : ....

b. Associez un prénom (Clara, Hélène) à chaque verbe.

Bouger : .... Courir : ....

Se déplacer : .... Lever : ....

2. Écoutez encore une fois ce dialogue. Concentrez-vous sur les problèmes. Répondez aux questions.

a - Hélène a arrêté une activité. Laquelle ? Pour quelle raison ?

....

b - Clara a eu un problème. Lequel ?

....

PISTE 9

Activité 6

1. Écoutez une fois ce dialogue. Relevez les informations chiffrées. Répondez aux questions.

a - Durée de la promenade : ....

b - Distance de la promenade : ....

2. Écoutez encore une fois ce dialogue. Relevez les informations précises. Répondez aux questions.

a - Quel est le problème pratique de Daniel ?

....

b - Quelles sont les difficultés prévues dans l'itinéraire ? Citez-en au moins deux.

....

c - Pour Daniel, qu'est-ce qui est important dans cette promenade ?

....

3 Comprendre un sentiment, une émotion

▬ Identifier la nature d'un sentiment

PISTES 10, 11

Activité 7

Pour identifier un sentiment, une émotion, il faut surtout noter les verbes et les expressions personnelles.

1. Écoutez une fois les deux dialogues. Complétez le tableau.

	Expressions de la peur ou de l'inquiétude	Expressions pour rassurer
Dialogue 1	....	....
Dialogue 2	....	....

PISTE 10

2. Écoutez le dialogue 1 encore une fois. Répondez aux questions.

a - Où sont Justine et Paul ?

....

b - Quel est le problème pour Justine ?

....

c - Comment Paul rassure-t-il Justine ?

....

d - Que propose enfin Justine ?

....

PISTE 11

3. Écoutez le dialogue 2 encore une fois. Répondez aux questions.

a - Pour quelle raison Arthur est-il inquiet ?

....

b - Que propose Samira ?

....

c - À quel moment Arthur est-il vraiment soulagé ? Quelle expression utilise-t-il ?

....

▬ Identifier l'expression de la tristesse, de la joie

PISTE 12

Activité 8

1. Écoutez une fois le dialogue. Répondez aux questions.

a - Qui est heureux ?

....

b - Qui est triste ?

....

c - Que viennent de recevoir Léna et Georges ?

....

2. Écoutez le dialogue encore une fois. Répondez aux questions.

a - Quels avantages Georges voit-il dans sa situation ?

....

b - Quels aspects de sa vie passée Léna regrette-t-elle ?

....

c - Quel projet Georges fait-il pour l'année suivante ?

....

— Identifier la surprise, l'indifférence

Activité 9

1. Écoutez une fois le dialogue. Répondez aux questions.

a - Notez les expressions de la surprise pour Madame Bretaut.

....

b - Où travaillent Madame Bretaut et Monsieur Josselin ?

☐ Dans un stade.

☐ Dans une école.

☐ Dans un restaurant.

c - Justifiez votre réponse.

....

2. Écoutez le dialogue une deuxième fois. Répondez aux questions.

a - Que découvre Madame Bretaut ?

....

b - Qu'en pense Monsieur Josselin ?

....

c - Que pense Madame Bretaut de la réaction de Monsieur Josselin ? Pour quelle raison ?

....

4 Comprendre une réussite

— Identifier la nature du document

Activité 10

1. Écoutez une fois les deux extraits sonores. Dans quelle situation peut-on entendre ces deux extraits ? Cochez la bonne réponse.

	Dans la rue	À la radio
Extrait 1		
Extrait 2		

2. Écoutez encore une fois les deux extraits sonores. Répondez aux questions.

a - Quel thème est commun aux deux extraits sonores ? ....

b - À qui s'intéresse particulièrement l'extrait 1 ? ....

c - Dans l'extrait 2, on s'intéresse à une opinion. Laquelle ?

....

— Identifier l'admiration, l'encouragement, les félicitations

PISTE 16

Activité 11

1. Écoutez une fois l'extrait sonore. Répondez aux questions.

a - Quelle est la profession de Marcel Bensoussan ? ....

b - Quelle est la raison principale du discours adressé à Monsieur Bensoussan ?

....

2. Écoutez encore une fois l'extrait sonore. Répondez aux questions.

a - Dans quelle entreprise se passe la situation ? ....

b - Quelle qualité de Monsieur Bensoussan la personne qui parle apprécie-t-elle ?

☐ Sa passion.

☐ Sa curiosité.

☐ Sa gentillesse.

c - Quel a été le rôle de Monsieur Bensoussan dans la vie de l'entreprise ?

☐ Il a choisi du personnel.

☐ Il a proposé une nouvelle activité.

☐ Il a négocié des salaires plus hauts.

d - Quels sont les deux sentiments exprimés à la fin du discours ?

....

PISTE 17

Activité 12

1. Écoutez une fois l'extrait sonore. Répondez aux questions.

a - Quelle est la profession de Myriam ? ....

b - Quelle est la raison principale de cette rencontre ?

☐ Bilan du travail.

☐ Entretien de recrutement.

☐ Annonce d'une mauvaise nouvelle.

2. Écoutez encore une fois l'extrait sonore. Répondez aux questions.

a - Depuis combien de temps Myriam est-elle dans l'entreprise ?

....

b - Quelle est la qualité de Myriam d'après la personne qui parle ?

☐ Elle est aimable.

☐ Elle est flexible.

☐ Elle est responsable.

c - Quelle est l'évolution possible de carrière de Myriam ?

....

5 Comprendre une appréciation

— Identifier l'expression d'une sympathie, un espoir, une déception

PISTE 18

Activité 13

1. Écoutez une fois l'extrait sonore. Répondez aux questions.

a - De quoi parle la personne ?

☐ De sa nouvelle coiffure.

☐ De la vie de la coiffeuse.

☐ Du confort du salon de coiffure.

b - Quelle est la raison du changement de vie d'Alexandra ?

....

2. Écoutez encore une fois l'extrait sonore. Répondez aux questions.

a - Quelle difficulté Alexandra a-t-elle rencontrée avant de décider du changement ?

....

b - Quelle est la qualité principale d'Alexandra ?

☐ Courageuse.   ☐ Généreuse.   ☐ Optimiste.

c - Quelles expressions la personne utilise-t-elle pour exprimer sa sympathie ?

....

PISTE 19

Activité 14

1. Écoutez une fois l'extrait sonore. Répondez aux questions.

a - À qui parle le président de l'association ? ....

b - De qui parle la personne ? ....

c - Quelle est la raison de cette réunion ? ....

2. Écoutez encore une fois l'extrait sonore. Répondez aux questions.

a - Il y a un mois, les habitants…

☐ ont logé les familles chez eux.

☐ ont trouvé un hébergement aux familles.

☐ ont loué des appartements aux familles.

b - L'association espérait que la préfecture…

☐ ouvre un hôtel.

☐ apporte une aide.

☐ propose de l'argent.

c - Quel est le sentiment du président après la réponse de la préfecture ? Justifiez en notant deux expressions.

....

6 Comprendre un désaccord

— Identifier l'approbation, le refus, la plainte

Activité 15

1. Écoutez une fois l'extrait sonore. Répondez aux questions.

a - Quel est le thème de la discussion ? ....

b - Choisissez la bonne réponse.

☐ Morgane approuve la décision.

☐ Morgane critique la décision.

☐ Morgane se plaint de la décision.

2. Écoutez encore une fois l'extrait sonore. Répondez aux questions.

a - Combien d'heures par jour Morgane travaille-t-elle ? ....

b - Que fait-elle le matin avant de travailler ? ....

c - Pour la pause de midi, le directeur propose…

☐ d'arrêter une heure le travail.

☐ de rester dans les bureaux.

☐ d'aller au restaurant.

d - Quelles expressions utilise Morgane pour donner son avis ?

....

....

Activité 16

1. Écoutez une fois l'extrait sonore. Répondez aux questions.

a - Où se passe la situation ? ....

b - Qui parle avec qui ? ....

c - Quel est le thème de discussion entre Laurence et Éric ? ....

2. Écoutez encore une fois l'extrait sonore. Répondez aux questions.

a - Laurence pose deux questions sur le thème. Lesquelles ?

....

....

b - Éric a un problème…

☐ avec son restaurant.   ☐ avec ses enfants.   ☐ avec ses grands-parents.

c - Pendant l'interview, Éric est…

☐ triste.   ☐ méfiant.   ☐ en colère.

d - D'après Éric, un groupe de personnes est oublié. Lequel ? Justifiez la réponse.

....

Activité 17

1. Écoutez une fois l'extrait sonore. Répondez aux questions.

a - Où Monsieur Duroc doit-il aller ? ....

b - Combien de temps doit durer son activité ? ....

c - Quel est son problème principal ?
- ☐ Il doit dormir sur place.
- ☐ Il doit commencer très tôt.
- ☐ Il doit travailler toute la journée.

2. Écoutez encore une fois l'extrait sonore. Répondez aux questions.

a - Que doit faire Monsieur Duroc tous les matins ?

....

b - Que pense Monsieur Duroc de son travail dans la journée ?

....

c - Quelles expressions Monsieur Duroc utilise-t-il pour exprimer son opinion ?

....

Activité 18

1. Écoutez une fois l'extrait sonore. Répondez aux questions.

a - Quel est le sentiment général de Monsieur Figoli ?
- ☐ Il est fatigué.
- ☐ Il est en colère.
- ☐ Il est malheureux.

b - Quel est le métier de Monsieur Figoli ?

....

2. Écoutez encore une fois l'extrait sonore. Répondez aux questions.

a - Qui Monsieur Figoli a-t-il rencontré ?

....

b - Quel est le problème de Monsieur Figoli ?
- ☐ Il n'aime plus son travail.
- ☐ Il ne gagne pas assez d'argent.
- ☐ Il ne peut plus payer son personnel.

c - Quelle est la solution proposée à Monsieur Figoli ?

....

d - Pour quelle raison lui propose-t-on cette solution ?

....

e - Est-il d'accord avec la solution proposée ? Justifiez votre réponse.

....

7 Comprendre une histoire racontée

— Identifier les moments d'une histoire

 PISTE 24

Activité 19

1. Écoutez une fois l'extrait sonore. Répondez aux questions.

a - Qu'est-ce que la personne a d'abord voulu faire ? ....

b - Mettez dans l'ordre (de 1 à 4) les activités de la journée de la personne.

...... Faire les magasins.

...... Manger une spécialité.

...... Visiter une église.

...... Se promener.

c - Qu'a fait Karine le même jour ? ....

2. Écoutez encore une fois l'extrait sonore. Répondez aux questions.

a - Quelle est la surprise du matin ? ....

b - Quel est le sentiment de la personne devant la surprise ? ....

c - À quel moment la personne a-t-elle visité l'église ? Écrivez l'expression utilisée.

....

PISTE 25

Activité 20

1. Écoutez une fois l'extrait sonore. Répondez aux questions.

a - À quel moment s'est passée cette histoire ? ....

b - L'homme que Martine a rencontré est...

☐ un voisin.

☐ un voleur.

☐ un policier.

2. Écoutez encore une fois l'extrait sonore. Répondez aux questions.

a - Martine a trouvé un homme...

☐ qui cherchait son adresse.

☐ qui voulait entrer chez elle.

☐ qui souhaitait parler avec elle.

b - Martine fait deux choses au même moment. Lesquelles ?

....

c - Pour quelles raisons le journaliste félicite-t-il Martine ? Citez-en deux.

....

▬ Identifier la durée et la fréquence

PISTES 26

Activité 21

1. Écoutez une fois l'extrait sonore. Répondez aux questions.

a - Dans quel lieu se passera l'événement annoncé par le journaliste ?

....

b - À quelle occasion l'événement a-t-il lieu ?

....

c - L'objectif de cet événement est de permettre aux habitants…

☐ de faire du sport.

☐ de donner de l'argent.

☐ de profiter du beau temps.

2. Écoutez encore une fois l'extrait sonore. Répondez aux questions.

a - Que se passe-t-il le 22 mars dans le monde ?

....

b - Qui sont les organisateurs de l'initiative en France ? Citez-en deux.

....

c - Depuis huit ans, pour cet événement…

☐ on ouvre les piscines toute la nuit.

☐ on offre des entrées gratuites jusqu'à minuit.

☐ on associe les habitants à une cause mondiale.

d - Quel est l'objectif concret de cet événement ?

....

STE 27

Activité 22

1. Écoutez une fois l'extrait sonore. Répondez aux questions.

a - Quel est le thème de l'émission ? ....

b - Quel est le résultat de l'enquête « Junior connecté » ?

....

2. Écoutez encore une fois l'extrait sonore. Répondez aux questions.

a - Que constate la journaliste en introduction de l'émission ?

....

b - Le médecin…

☐ comprend

☐ critique   …le comportement des jeunes.

☐ refuse

c - Quel est le rôle essentiel d'Internet pour le médecin ?

....

d - Quelle est la réaction d'Isabelle quand elle découvre ce que fait sa fille ?

....

e - D'après le médecin, les règles des parents doivent changer en fonction de…

☐ l'année scolaire.

☐ la réussite des jeunes.

☐ la décision des jeunes.

8 Comprendre un échange de points de vue

— Identifier l'autorisation, l'interdiction

PISTE 28

Activité 23

1. Écoutez une fois l'extrait sonore. Répondez aux questions.

a - Pour quelle raison Pauline est-elle l'invitée de l'émission ?

☐ C'est une femme.

☐ C'est une sportive.

☐ C'est une championne.

b - À quoi fait-elle attention avec les médias ?

....

2. Écoutez encore une fois l'extrait sonore. Répondez aux questions.

a - Quel sport Pauline pratique-t-elle ?

....

b - D'après Pauline, à quoi s'intéressent les médias en priorité dans son sport ?

....

c - Dans les médias, Pauline accepte de :

....

d - Dans les médias, Pauline interdit de :

....

e - Avec ses performances sportives, Pauline cherche à montrer que le succès est…

☐ le résultat du travail.

☐ une affaire personnelle.

☐ le rêve de tout le monde.

Activité 24

1. Écoutez une fois l'extrait sonore. Répondez aux questions.

a - Le thème de l'émission concerne…

☐ les motivations

☐ les préparatifs   …quand on fait un voyage international.

☐ les règles

b - À la fin, que conseille de faire la personne pour s'informer ?

....

2. Écoutez encore une fois l'extrait sonore. Répondez aux questions.

a - Quelles sont les deux façons éventuelles de recevoir un visa ?

....

....

b - La personne conseille aux voyageurs…

☐ de profiter de visiter tout le pays.

☐ de montrer ses goûts personnels.

☐ de connaître les habitudes du pays.

c - Quelle est la dernière chose à faire avant de partir ?

....

▬ Identifier la certitude, l'hésitation

Activité 25

1. Écoutez une fois l'extrait sonore. Répondez aux questions.

a - Où vont Quentin et Julie ?

....

b - Que cherchent-ils ?

....

2. Écoutez encore une fois l'extrait sonore. Répondez aux questions.

a - Julie est sûre du nom de l'arrêt. Pour quelle raison ?

....

b - Que propose Quentin à Julie ?

☐ Lire un plan de ville.

☐ Regarder un document.

☐ Demander à quelqu'un dans la rue.

c - Quelle est l'explication de Julie ?

....

d - Quelle est la solution de Julie ?

....

Activité 26

1. Écoutez une fois l'extrait sonore. Répondez aux questions.

a - Qu'est-ce que Kévin propose d'organiser ? ....

b - Sur quel point Kévin hésite-t-il ?

....

c - Notez les expressions de son hésitation.

....

2. Écoutez encore une fois l'extrait sonore. Répondez aux questions.

a - Kévin parle de trois dates possibles. Lesquelles ?

....

b - Quel est le problème avec la première date ?

☐ C'est un long week-end.

☐ C'est une fête religieuse.

☐ C'est la fête de la ville.

c - Pour quelle raison la date de son anniversaire ne convient-elle pas ?

....

d - La Fête de la musique permet…

☐ de se promener en ville.

☐ d'aller voir un spectacle.

☐ d'organiser des concerts.

e - Finalement, quelle solution Kévin propose-t-il ?

....

9 Comprendre une probabilité, une éventualité

▬ Identifier une probabilité, une intention

Activité 27

1. Écoutez une fois l'extrait sonore. Répondez aux questions.

a - Que cherche Marjorie sur Internet ?

....

b - Quelle est la surprise de Marjorie dans sa recherche ?

....

c - Quelle est la tendance actuellement ?

☐ Le public choisit le nom des artistes.

☐ Les artistes se donnent des noms populaires.

☐ Internet classe les artistes par ordre alphabétique.

2. Écoutez encore une fois l'extrait sonore. Répondez aux questions.

a - Quelle est la difficulté avec le nom des nouveaux artistes ?

....

....

b - Pour la personne, la mauvaise solution au problème serait de...

☐ changer le nom de l'artiste.

☐ jouer plus de musique sur Internet.

☐ demander au public de choisir un nouveau nom.

c - Que prouve le succès du chanteur M ?

....

....

PISTE 33

Activité 28

1. Écoutez une fois l'extrait sonore. Répondez aux questions.

a - De quel projet parle-t-on ?

....

b - Quel est le sentiment de Robin qui parle du projet ?

....

c - Qu'espère Robin pour ce projet ?

☐ Les familles vont participer aux activités communes.

☐ Les différents groupes vont habiter ensemble.

☐ Le projet va se développer dans tout le pays.

2. Écoutez encore une fois l'extrait sonore. Répondez aux questions.

a - Qu'est-ce que ce projet doit apporter à notre société actuelle ?

....

....

b - Que vont faire les enfants et les personnes âgées ensemble ?

....

....

c - Les activités vont permettre aux personnes âgées...

☐ d'améliorer leur éducation.

☐ de retrouver la joie de vivre.

☐ d'apprendre à jouer de la musique.

S'ENTRAÎNER

1 Comprendre une interaction entre locuteurs natifs

PISTE 34

Exercice 1

(6 points)

Lisez les questions. Écoutez le document puis répondez aux questions.

> ▶ Lire attentivement les questions avant l'écoute du document.
> ▶ Noter sur un papier les mots clés entendus.
> ▶ Bien gérer son temps.
> ▶ Utiliser la première écoute pour l'essentiel.
> ▶ Répondre aux questions qui semblent faciles.
> ▶ Écrire des réponses avec des mots ou expressions.
> ▶ Relire une dernière fois ses réponses.

1 - Sophie et Christophe parlent d'organiser…   (1 point)

a. ☐ une fête ensemble.

b. ☐ l'anniversaire de Sophie.

c. ☑ l'anniversaire de Christophe.

▶ Cette première question est le thème général du document.

2 - Qu'a organisé Christophe pour ses 30 ans ?   (1 point)

a. ☑ Un repas avec sa famille.

b. ☐ Une fête dans sa maison.

c. ☐ Un dîner avec quelques amis.

▶ À partir de la question 2, les questions sont classées dans l'ordre des informations du document.
Ici, c'est l'information donnée au début du document.

3 - Quelle organisation propose Christophe pour l'année prochaine ?   (1 point)

.... plusieurs dîners avec 4 ou 5 amis. ....

▶ Pour la question ouverte, vous écrivez les mots les plus importants pour montrer que vous connaissez
la réponse. Pas de phrase complète et l'orthographe n'est pas notée.

4 - À propos de la proposition de Christophe, Sophie est d'abord…   (1 point)

a. ☐ en colère.

b. ☐ satisfaite.

c. ☑ surprise.

▶ Ne cherchez pas de logique dans l'ordre des propositions pour trouver la bonne réponse. Ici, les trois
propositions sont rangées par ordre alphabétique.

5 - Christophe souhaite que ses amis…   1 point

a. ☐ goûtent sa cuisine.

b. ☑ se connaissent mieux.

c. ☐ rencontrent sa famille.

▸ Ne cherchez pas de logique dans l'ordre des propositions pour trouver la bonne réponse.
  Ici, les trois phrases sont rangées par ordre de grandeur.

6 - À la fin de la conversation, Sophie veut savoir…   1 point

a. ☐ quand

b. ☐ pourquoi   …elle est invitée.

c. ☑ avec qui

▸ La dernière question concerne la fin du document.

CE QUE JE RETIENS

▸ Qu'est-ce que je fais avant la première écoute ?

▸ Quel est le rôle de la première question ?

▸ Comment dois-je compléter les questions ouvertes ?

▸ Dans quel ordre dois-je répondre aux questions ?

▸ À quoi sert la seconde écoute ?

▸ Qu'est-ce que je fais quand j'ai répondu à toutes les questions ?

PISTE 35

Exercice 2   6 points

Lisez les questions. Écoutez le document puis répondez.

1 - Les deux personnes…   1 point

a. ☐ sortent d'une réunion de parents.

b. ☐ organisent une réunion avec des élèves.

c. ☐ préparent une réunion de parents-professeurs.

2 - Quel est le sentiment de la femme concernant le thème de la réunion ?   1 point

a. ☐ Elle est indécise.

b. ☐ Elle est contente.

c. ☐ Elle est inquiète.

FAUX-AMIS

3 - Pour quelle raison l'homme propose-t-il son activité ?   1 point

....

4 - La femme pense que les propositions des parents…   1 point

a. ☐ doivent être associées aux cours de l'école.

b. ☐ doivent être séparées du programme scolaire.

c. ☐ doivent remplacer certains cours des professeurs.

Souvent, les questions écrites utilisent les mots de l'extrait sonore mais dans d'autres contextes.

Comprenez avant tout le sens des phrases de la question !

Un mot entendu n'est pas toujours un indice pour la réponse exacte !

S'ENTRAÎNER

PRÊT POUR L'EXAMEN

❶ Se poser les bonnes questions : qui ? avec qui ? où ? quand ? pour faire quoi ?
❷ Lire les questions et imaginer en partie la réponse avant l'écoute.
❸ Repérer avec attention les réactions des personnes qui parlent.
❹ Faire attention à la formulation des questions.

5 - La femme propose… `1 point`

a. ☐ que l'école finance un voyage aux élèves.

b. ☐ que les élèves organisent un voyage d'échange.

c. ☐ que les professeurs choisissent un voyage scolaire.

6 - Que pense l'homme de la proposition de la femme ? `1 point`

a. ☐ C'est une proposition trop idéaliste

b. ☐ C'est une proposition trop risquée   …pour des élèves.

c. ☐ C'est une proposition trop technique

PISTE 36

Exercice 3 `6 points`

Lisez les questions. Écoutez le document puis répondez.

1 - Quentin et Marie discutent… `1 point`

a. ☐ de la planification

b. ☐ du déroulement   …d'un déménagement.

c. ☐ du financement

2 - Quentin n'était pas content… `1 point`

a. ☐ à cause du nombre de cartons.

b. ☐ à cause de l'heure du déménagement.

c. ☐ à cause de la situation de l'appartement.

3 - Marie a été satisfaite de l'idée de Gabriel parce qu'il a proposé d'abord… `1 point`

a. ☐ de placer les meubles.

b. ☐ d'ouvrir tous les cartons.

c. ☐ de s'occuper de la cuisine.

4 - Quel événement Quentin souhaite-t-il connaître ? `1 point`

....

5 - Pour quelle raison Marie est-elle encore inquiète ? `1 point`

....

6 - Face à la dernière inquiétude de Marie, Quentin… `1 point`

a. ☐ est rassurant.

b. ☐ est indifférent.

c. ☐ est pessimiste.

PRÊT POUR L'EXAMEN

❶ Connaître l'organisation des questions. La première question porte sur la situation générale, les questions suivantes sont dans l'ordre du document sonore.
❷ Écouter la première fois le sens général et le rôle des différentes personnes.
❸ Répondre à certaines questions par un seul mot.
❹ À la deuxième écoute, noter les expressions et les réactions entre les personnes.
❺ Écrire des réponses courtes pour montrer que vous connaissez la réponse exacte.
❻ À la fin, vérifier vos réponses une dernière fois et corriger clairement si nécessaire.

2 Comprendre des émissions de radio et des enregistrements du domaine professionnel

PISTE 37

Exercice 4

8 points

Lisez les questions. Écoutez le document puis répondez.

- ▸ Prendre le temps de bien lire les questions (30 secondes pour 6 questions).
- ▸ Comprendre l'essentiel (thème, situation) à la première écoute.
- ▸ Prendre des notes sans chercher de logique immédiatement.
- ▸ Répondre aux questions qui vous semblent les plus faciles (30 secondes).
- ▸ Compléter les notes de la première écoute pendant la seconde écoute.
- ▸ Prendre le temps de relire ses notes et de compléter (1 minute).

1 - Enzo et Lucie parlent…   **1 point**

a. ☐ du travail qu'ils vont faire cet été.

b. ☑ des projets qu'ils ont pour l'été prochain.

c. ☐ des vacances qu'ils organisent ensemble.

- ▸ **Compréhension globale :** Cette première question porte sur le **thème principal de la discussion**. Enzo interroge Lucie et les **réponses** sont **les éléments les plus importants**.

2 - Lucie a un projet pour l'été :   **1 point**

a. ☑ Elle veut trouver un travail.

b. ☐ Elle veut organiser un voyage.

c. ☐ Elle veut continuer ses études.

- ▸ La question porte sur les premières phrases de Lucie. Concentrez-vous tout de suite à l'écoute du document sonore !

3 - Pour quelles raisons Enzo doute du projet de Lucie ? Citez les deux raisons :   **2 points**

..1. C'est la crise. 2. Lucie n'a pas de métier...

- ▸ Dans l'exercice, la **question ouverte** courte propose le **nombre de réponses** attendues. La question ici porte sur le doute de l'ami. Sa question donne les **deux réponses attendues**. Écrivez la **question entendue** et séparez-la en deux parties. **La question est sur 2 points !**

4 - Selon Lucie, un bureau de placement permet à une entreprise…   **1 point**

a. ☐ de changer un employé incompétent.

b. ☐ de trouver des nouveaux employés.

c. ☑ de remplacer un employé absent.

- ▸ Il est plus facile de comprendre quand on est préparé aux situations des documents. Ici, il s'agit du monde professionnel. Mobiliser le vocabulaire spécifique : *bureau, entreprise, employé, incompétent*.

5 - Quelles informations peut-on lire sur l'annonce ? Citez-en deux. [1,5 point]

. standardiste / 6 semaines / cet été (3 possibilités)...

▸ Lisez bien la question : ici, il est demandé **deux** informations sur l'annonce : quelle profession ? quand ?

6 - D'après Lucie, que doit-elle faire dans ce travail ? Citez les trois activités. [1,5 point]

. répondre au téléphone...

. recevoir les clients..

. noter les informations et les opérations de banque (sur ordinateur)...........................

▸ La **question ouverte** courte propose **trois réponses** attendues. Si vous entendez seulement une ou deux informations, écrivez-les. Vous pouvez **gagner déjà 0,5 ou 1 point sur le total de 1,5 point.**

CE QUE JE RETIENS

▸ Quel est le thème général de la discussion ?

▸ Est-ce que je distingue bien les avis ou les réactions des deux personnes qui parlent ?

▸ Comment est-ce que je réponds aux questions qui précisent de « citer deux/trois » éléments ?

▸ Est-ce que je dois tout comprendre ?

▸ Comment j'utilise les notes de la première et de la seconde écoute ?

▸ Est-ce que je corrige la grammaire de mes réponses courtes ?

PISTE 38

Exercice 5 [8 points]

Lisez les questions. Écoutez le document puis répondez.

1 - La personne invitée parle… [1 point]

a. ☐ du développement économique de la région.

b. ☐ de la transformation des habitudes commerciales.

c. ☐ de la difficulté des entreprises à s'adapter au numérique.

2 - Quel est le travail de Christine Trotigny ? [1,5 point]

....

3 - Christine Trotigny rappelle que de plus en plus de Français… [1 point]

a. ☐ achètent en ligne.

b. ☐ travaillent par Internet.

c. ☐ ont des équipements numériques.

4 - Selon Christine Trotigny, quels sont les trois rôles que joue Internet dans les familles ? [1,5 point]

....

....

....

5 - D'après Christine Trotigny, les responsables économiques doivent… `1 point`

a. ☐ aider les clients à mieux consommer.

b. ☐ vendre des produits numériques.

c. ☐ comprendre les nouvelles habitudes des clients.

6 - Finalement, quel rôle veut jouer Christine Trotigny pour la région ? `2 points`

....

....

PRÊT POUR L'EXAMEN

❶ Connaître les situations courantes du monde du travail.

❷ À la première écoute, noter la situation et le rôle des différentes personnes.

❸ Répondre aux questions à choix multiples en priorité.

❹ À la deuxième écoute, noter dans l'ordre les différents éléments présentés par la personne.

❺ Compléter avec attention les questions ouvertes parce qu'elles donnent des points.

PISTE 39

Exercice 6 `8 points`

Lisez les questions. Écoutez le document puis répondez.

1 - Le dialogue se déroule… `1 point`

a. ☐ chez un banquier.

b. ☐ chez un propriétaire.

c. ☐ chez un commerçant.

2 - Quelle expérience professionnelle Madame Pindrot a-t-elle eue en Grande-Bretagne ? `1,5 point`

....

3 - Comment Madame Pindrot a-t-elle eu son idée commerciale ? `1,5 point`

....

4 - Pour Madame Pindrot, son futur commerce doit… `1 point`

a. ☐ mélanger les cultures.

b. ☐ attirer la nouvelle génération.

c. ☐ aborder la tradition.

5 - Quelle est la réaction du banquier face au projet ? `2 points`

....

6 - Le dernier sujet que voudrait aborder le banquier concerne… `1 point`

a. ☐ l'équipement.

b. ☐ le financement.

c. ☐ l'emplacement.

PRÊT POUR L'EXAMEN

❶ Comprendre les moments de l'histoire que raconte l'invitée.

❷ À la première écoute, noter bien le projet de l'invitée et ses motivations.

❸ Comparer ses notes et les questions de la compréhension orale.

❹ À la deuxième écoute, compléter ses notes et noter les questions et réactions du banquier.

❺ Rester concentré jusqu'à la fin du document sonore.

❻ Penser à bien relire ses réponses à la fin de l'exercice.

3 Comprendre des émissions de radio et des enregistrements du domaine public

 PISTE 40

Exercice 7

Lisez cet article puis répondez aux questions.

11 points

> ▸ Prendre le temps de bien lire les questions (1 minute pour 8 questions).
> ▸ Comprendre l'essentiel (thème, situation) à la première écoute.
> ▸ Prendre des notes sans chercher de logique immédiatement.
> ▸ Répondre aux questions qui sont faciles (1 minute).
> ▸ Compléter les notes de la première écoute pendant la seconde écoute.
> ▸ Prendre le temps de relire ses notes et de compléter (3 minutes).

1 - Le sujet de l'interview concerne un événement… **1 point**

a. ☐ qui va développer le commerce de la ville.

b. ☐ qui aide à préparer les fêtes de fin d'année.

c. ☑ qui doit permettre aux gens de se rencontrer.

▸ La première question générale porte sur **tout** le document. Attendez la fin pour bien répondre !

2 - Pour Isabelle, l'idée originale de son événement est que… **1 point**

a. ☐ la ville offre des services différents aux personnes.

b. ☐ les gens vont acheter des choses très bon marché.

c. ☑ les habitants peuvent apporter et offrir leurs affaires.

▸ Attention, cette deuxième question porte seulement sur « l'idée originale » d'Isabelle. L'objectif est dans la question suivante. Écoutez attentivement et notez bien les deux éléments séparément !

3 - D'après Isabelle, quel est l'objectif principal de l'événement ? **2 points**

.....Que les gens fassent connaissance et qu'ils discutent ensemble.................................

...

▸ Les questions 2 et 3 doivent vous aider à bien faire la différence entre l'idée originale et l'objectif principal – **Quoi / pour faire quoi ?**

4 - Isabelle prépare cet événement avant les fêtes de fin d'année… **1 point**

a. ☐ à cause des difficultés des commerces.

b. ☑ dans le but de trouver les bons cadeaux.

c. ☐ pour aider les personnes les plus pauvres.

▸ La question propose comme réponses une cause et deux buts. Écoutez bien ce que constate Isabelle au moment de la préparation des fêtes de fin d'année.

5 - Quelle est la condition principale pour proposer cet événement plusieurs fois dans l'année ?   2 points

La ville doit prêter des lieux à chaque fois.

▸ À la question « la condition principale », il faut répondre par une seule réponse. N'écrivez pas plusieurs réponses, sinon la question **recevra** 0 point !

6 - Quand Isabelle a demandé d'organiser cet événement, elle a trouvé que les responsables de la ville étaient…   1 point

a. ☐ ennuyés.

b. ☐ étonnés.

c. ☑ intéressés.

▸ La réponse exacte résume le sentiment des responsables de la ville d'après Isabelle.

7 - Quelles sont les trois activités importantes pour les organisateurs avant la date de l'événement ?   2 points

répondre aux messages des gens

enregistrer les inscriptions

avoir des réunions d'organisation

▸ Choisissez bien les mots clés pour répondre. Trois mots sont possibles pour les trois activités mais soyez précis pour les correcteurs !

8 - Pour Isabelle, connaître le nombre de participants est une raison…   1 point

a. ☐ de la réussite de l'événement.

b. ☑ de la satisfaction des habitants.

c. ☐ de la compétence des organisateurs.

▸ Attention aux **faux-amis** « réussite/satisfaction/compétence » ! La question est de savoir pourquoi Isabelle trouve important de « *connaître le nombre des participants* » !

CE QUE JE RETIENS

▸ Comment est-ce que je gère le temps entre la lecture des questions, les écoutes et la rédaction des réponses ?

▸ Quelle stratégie dois-je utiliser pour gagner le maximum de points ?

▸ Quelle différence dois-je faire entre la cause, le but, la conséquence des informations données ?

▸ Comment dois-je organiser mes notes de la seconde écoute avec celles de la première écoute ?

▸ Comment est-ce que je repère les mots clés ?

Exercice 8 [11 points]

Lisez les questions. Écoutez le document puis répondez.

1 - Ce document présente… [1 point]

a. ☐ les progrès du nombre de femmes en politique.

b. ☐ la situation économique des femmes dans certains pays.

c. ☐ la place actuelle que les femmes occupent dans le monde.

2 - D'après le journaliste, quelle est la conséquence logique du principe « un homme sur deux est une femme » ? [2 points]

....

3 - L'objectif principal de l'émission est de montrer que… [1 point]

a. ☐ les femmes ont peur d'être au pouvoir.

b. ☐ les femmes souhaitent être au pouvoir.

c. ☐ les femmes se désintéressent du pouvoir.

4 - Selon le journaliste, les femmes célèbres prouvent que… [1 point]

a. ☐ les hommes laissent leur place aux femmes.

b. ☐ les femmes restent rares à la place des hommes.

c. ☐ les femmes ont les mêmes places que les hommes.

5 - Quels sont les deux grands événements mondiaux que le journaliste présente ? [2 points]

....

6 - Dans le secteur économique français, le journaliste rappelle que… [1 point]

a. ☐ quarante femmes président les plus grandes entreprises.

b. ☐ les quarante plus grandes entreprises ont une femme présidente.

c. ☐ aucune femme ne préside les quarante premières entreprises.

7 - Selon le journaliste, que s'est-il passé concrètement à partir de 2001 ? [2 points]

....

8 - Pour ce qui concerne l'égalité homme-femme, le journaliste parle de l'Afrique parce qu'il… [1 point]

a. ☐ doute des progrès sur ce continent.

b. ☐ souhaite y exporter le modèle français.

c. ☐ espère les mêmes progrès sur son continent.

PRÊT POUR L'EXAMEN

❶ Lire attentivement les **8** questions de cet exercice.

❷ À la première écoute, se concentrer sur le thème, les chiffres et statistiques et l'opinion du journaliste.

❸ Prendre le temps de lire ses notes et les questions.

❹ À la deuxième écoute, compléter et corriger ses notes.

❺ Répondre à toutes les questions ou aux questions à **2** points en priorité.

❻ Être attentif aux verbes ou expressions d'opinion du journaliste.

Exercice 9 ⟨11 points⟩

Lisez les questions. Écoutez le document puis répondez.

1 - Le document parle de… ⟨1 point⟩

a. ☐ la présentation d'un nouvel auteur de BD au musée.

b. ☐ l'ouverture d'un nouveau musée de la bande dessinée.

c. ☐ l'exposition d'un auteur de BD dans un musée classique.

2 - Quel est le but du musée en invitant un dessinateur de BD ? ⟨2 points⟩

....

3 - Au moment de l'invitation, le dessinateur a pensé que son travail… ⟨1 point⟩

a. ☐ n'était pas adapté à l'objectif de l'exposition.

b. ☐ ne correspondait pas à la qualité artistique du musée.

c. ☐ ne se combinait pas avec les œuvres classiques.

4 - Pour le dessinateur, quel est le point commun entre son travail et les peintres ? ⟨2 points⟩

....

5 - Le dessinateur affirme que son travail présenté au public … ⟨1 point⟩

a. ☐ continue la tradition de la peinture.

b. ☐ invite les gens à devenir dessinateur.

c. ☐ propose une nouvelle tendance artistique.

6 - Pour quelle raison le dessinateur, enfant, détestait-il les musées ? ⟨2 points⟩

....

7 - Quand le dessinateur faisait des études d'art, visiter des musées était… ⟨1 point⟩

a. ☐ utile.

b. ☐ ennuyeux.

c. ☐ passionnant.

8 - Grâce à ses enfants, le dessinateur… ⟨1 point⟩

a. ☐ a publié ses dessins.

b. ☐ a appris à aimer les musées.

c. ☐ a organisé des expositions de BD.

PRÊT POUR L'EXAMEN

❶ **Stratégie de lecture :** lire les questions, imaginer quelques réponses possibles.

❷ **Stratégie d'écoute :**
- À la première écoute, confirmer certaines réponses et noter quelques points importants.
- À la seconde écoute, se concentrer sur les parties plus difficiles à comprendre et compléter ses notes sur le même papier.

❸ **Stratégie d'écriture :**
- Cocher ou écrire les réponses les plus logiques, faciles, évidentes…
- Se concentrer sur les questions à 2 points pour prouver qu'on a compris.

PRÊT POUR L'EXAMEN !

Communication

- Affirmer / suggérer
- Apprécier
- Exprimer des sentiments
- Interagir
- Raconter
- Situer dans le temps et dans l'espace

Socioculturel

Pour identifier le type de document :

▸ Dialogue : deux personnes parlent

▸ Émission de radio : une personne interroge et la seconde personne explique

▸ Reportage : une personne présente et la seconde personne parle en continu

Pour comprendre l'échange :

▸ Repérer le thème

▸ Identifier les intentions et les opinions

Grammaire

Les temps des verbes (*il ne vient pas, elle m'a affirmé, vous prendrez*)

Le conditionnel (*il pourrait venir*)

Les connecteurs (*pourtant, mais, donc*)

Les relations logiques (*avant de partir, où tout le monde se rencontre, pour que tu arrêtes, parce que je suis fatigué*)

Vocabulaire

▸ Commerces
▸ Environnement
▸ Loisirs
▸ Professions
▸ Sentiments
▸ Services
▸ Transports
▸ Vie sociale

STRATÉGIES

1. Je note le nom, le prénom, le *tu/vous* et les titres des personnes qui parlent pour inférer la situation.

2. Je repère l'intonation, les hésitations et mots d'interjection pour comprendre l'intention des locuteurs.

3. J'écoute les bruits et les musiques pour identifier le lieu et le contexte de l'interaction.

Interagir

Où sont mes clés ?
Je voudrais savoir si tu viens dîner.
Non, ce n'est pas exactement ça.
Mais qu'est-ce qui t'arrive ?

Exprimer un sentiment

Je suis vraiment déçu.
Je crois qu'elle est déjà partie.
C'est vraiment bien, cette région !
Cette histoire ne me plaît pas du tout.

Exprimer une opinion

Je suis vraiment contre ce projet.
Je ne peux pas le croire.
Je suis très intéressé par ta proposition.
Nous sommes plutôt confiants.

Proposer

Tu es d'accord pour attendre encore un peu ?
Nous pourrions aller voir cette compétition.
Voilà, je voudrais vous présenter mon budget.

Répondre

J'accepte avec plaisir.
Excusez-moi mais je suis vraiment malade.
Pas question de sortir maintenant !
Vous pouvez vous adresser au bureau d'à côté ?

Préciser

Alors, tu veux dire quoi ?
C'est-à-dire que tu ne veux pas m'aider ?
Il faut savoir d'abord que 70 % des familles ont un ordinateur.

Parler de l'espace

Lieu, endroit
Au milieu de, au fond de
Restez assis, je vous en prie.
La place à l'arrière du bus

Parler du caractère

Inquiétude, étonnement
Passionné, de bonne humeur
Ça me met vraiment en colère !

Parler de l'éducation

École maternelle
Il a fait un stage de deux mois.
Le formateur est excellent.

Elle a obtenu son diplôme d'ingénieur.

Parler des métiers

Elle a trouvé un job pour l'été.
Chômage, contrat de travail
Employeur, salarié
Les trains sont en grève.
L'entreprise recherche des personnes qualifiées.

Parler de l'information

Les informations
Les médias
Téléspectateur
Reporter, journaliste

Parler du commerce

Les horaires sont sur la porte.
Les soldes durent six semaines.
Supermarché, épicerie
Commerçant, marchand
Les prix sont excessifs.

Parler des événements

Fête familiale, nationale
Réunion de quartier
Tu as vu le match hier ? On a gagné !
Les marchés de Provence sont très fréquentés.

Je suis prêt ?

Les 4 questions à se poser

1. Est-ce que je peux reconnaître l'identité et le rôle des personnes qui parlent ?

2. Est-ce que je peux faire une liste de dix mots que je comprends pendant l'écoute d'une compréhension orale ?

3. Est-ce que je suis capable de comprendre si les personnes sont d'accord ou non, satisfaites ou non, heureuses ou non ?

4. Est-ce que je peux prendre des notes utiles pendant l'écoute du document oral ?

PRÊT POUR L'EXAMEN !

✔ À faire

AVANT L'EXAMEN

☐ **enrichir son** vocabulaire
écrire des listes de mots ou expressions sur les thèmes
de la vie publique, professionnelle et personnelle

☐ **approfondir la** syntaxe
noter les connecteurs en fonction des notions de
conséquence, de but, d'opposition, de comparaison,
revoir les conjugaisons des verbes aux différents temps
du passé, au présent, au futur, au conditionnel

☐ **s'entraîner à écouter la radio francophone, à regarder
des émissions en français, à visiter des sites internet
sur des sujets généraux et d'actualité**

LE JOUR DE L'EXAMEN

☐ apporter sa pièce d'identité, sa convocation, un stylo noir
☐ être reposé, détendu et suivre ses stratégies d'écoute
☐ bien comprendre les questions et répondre après la
première écoute aux questions qui semblent les plus faciles
☐ ne pas s'inquiéter de l'orthographe mais écrire lisiblement
☐ en cas d'erreur, corriger clairement

Compréhension
des écrits

COMPRENDRE

L'ÉPREUVE

La compréhension des écrits est la deuxième épreuve collective de l'examen du DELF B1.

Durée totale de l'épreuve	**35 minutes**
Nombre de points	**25 points**
Nombre d'exercices	**2 exercices**
Nombre de documents à lire	**Exercice 1 :** **4 documents courts (80 à 100 mots)** **Exercice 2 :** **1 texte informatif et authentique,** **de 400 à 500 mots**
Quand lire les questions ?	**Avant de lire les documents**
Quand lire les documents ?	**Après avoir lu la consigne et les questions**
Quand répondre aux questions ?	**Après avoir tout lu**

Objectifs des exercices

Exercice 1	**Lire pour s'orienter**
Exercice 2	**Lire pour s'informer**

LES SAVOIR-FAIRE

Il faut principalement être capable de :

Comprendre l'idée générale et la structure d'un texte

Identifier les différents points de vue

Relever des informations précises
- ▸ Qui ?
- ▸ Quoi ?
- ▸ Quand ?
- ▸ Où ?
- ▸ Comment ?
- ▸ Combien ?
- ▸ Pourquoi ?

Comment créer un esprit d'équipe dans une entreprise ? — titre

De nouvelles méthodes apparaissent dans les entreprises pour renforcer la cohésion des cadres au sein des entreprises. Parfois, cela permet d'exprimer plus facilement les problèmes qui peuvent exister au sein de l'entreprise. — chapeau

Plutôt stages de survie... — sous-titre

Vous avez forcément en tête des images de stages de survie organisés par les grandes entreprises, où l'on voit les cadres sauter à l'élastique, monter un sommet, naviguer sur un voilier, en poussant des cris de guerre. Cela entraînerait un renforcement de l'esprit d'équipe car sans l'effort et les difficultés, l'entraide s'avèrerait indispensable. Cela permettrait aussi de mettre en pratique l'esprit d'équipe. Certains spécialistes contestent ce type d'activités. Elles pourraient même être improductives si est reproduite sur le terrain la même ambiance qu'au travail : chef trop dominant, sentiment d'infériorité de certains salariés, concurrence trop forte, par exemple. — opinion

...ou activités ludiques ?

C'est pour cette raison qu'un certain nombre de sociétés françaises proposent aujourd'hui autre chose : des activités plus insolites. On peut citer des cours de cuisine, des stages de cinéma, etc. Ce genre d'activités permet aux salariés de se voir en dehors du travail, dans un cadre totalement différent et surtout en effectuant des choses qui n'ont strictement rien à voir avec le monde de l'entreprise. Tout en s'amusant, cela permet de mieux se connaître et de développer sa créativité. Bref, tout ce qui est nécessaire pour, par la suite, travailler mieux et en équipe. — information précise

D'après Isabelle BRUNET Isabelle et Katy GAWELIK,
http://www.contenulibre.com/35-ressources_humaines — source

LES EXERCICES ET LES DOCUMENTS

	Supports possibles	Type d'exercice	Nombre de points
Exercice 1 Lire pour s'orienter	4 ou 5 documents courts (de 80 à 100 mots chacun) et informatifs Brochures, menus, dépliants, annonces	Un tableau à compléter (20 cases à cocher) Une question ouverte sur votre choix final	10 points
Exercice 2 Lire pour s'informer	Article extrait de la presse francophone	Un questionnaire	15 points

LA CONSIGNE

Une consigne générale explique ce qu'il faut faire pour l'ensemble des exercices :
Lisez le texte, puis répondez aux questions, en cochant la bonne réponse ou en écrivant l'information demandée.
La consigne de l'exercice 1 présente la situation et les critères de sélection.

LES QUESTIONS ET LES RÉPONSES

Les questions se présentent sous 3 formes :
– **les questions à choix multiples (QCM)** : sélectionner la bonne réponse parmi les trois choix.
Il n'y a qu'une seule réponse correcte.
– **les questions à réponse ouverte courte (QROC)** : écrire la réponse, c'est-à-dire le ou les mots attendus.
Il n'est pas nécessaire d'écrire une phrase complète avec un sujet, un verbe et un complément.
– **les questions Vrai/Faux + justification** : vous devez cocher pour indiquer si une affirmation est vraie ou fausse et justifier votre choix. Vous devez recopier la phrase du texte qui correspond.

Exercice 1
Le premier exercice est un exercice de lecture en diagonale. Il s'agit de résoudre une situation qui se passe dans le domaine personnel ou professionnel.
Durant l'exercice, vous aurez :
– un tableau à compléter (20 cases à cocher) ;
– une question ouverte qui porte sur votre choix final.
Attention : vous devez proposer une réponse logique avec votre analyse dans le tableau.
Dans le cas contraire, un point est retiré.

Exercice 2
À la suite du texte, vous aurez un questionnaire constitué de :
– 5 questionnaires à choix multiples (QCM) pour évaluer la compréhension globale et détaillée ;
– 4 questions de type Vrai/Faux avec justifications (compréhension détaillée) ;
– 2 questions à réponse ouverte courte (compréhension détaillée).

PRÊT POUR L'EXAMEN

❶ Consacrer environ 15 minutes par exercice.
❷ Faire une lecture sélective et rapide des documents.
❸ Prendre 5 minutes pour se relire à la fin.

1 Lire pour s'orienter

— **Comprendre l'idée générale des textes et les critères de choix**

Activité 1

1 - Avant de commencer la lecture complète des documents, identifiez les informations principales. Lisez les 5 exemples de consignes ci-dessous.

A. Vous travaillez à Bordeaux.
Vous souhaitez remercier votre collègue pour son aide dans un projet important.
Vous aimeriez lui offrir :
— un objet ;
— de décoration ;
— utile en cuisine ;
— sur le thème du voyage ;
— d'un prix de 45 euros au maximum.

B. Vous travaillez à Bruxelles. Votre responsable souhaite organiser un déjeuner d'entreprise.
Vous recherchez un restaurant :
— ouvert le lundi ;
— proposant des spécialités locales ;
— avec une belle vue sur la ville ;
— pouvant accueillir un groupe de 15 personnes ;
— avec un menu d'environ 60 euros par personne.

C. Vous travaillez au service des ressources humaines d'une entreprise suisse.
Vous souhaitez organiser un cours :
— pour améliorer l'accueil téléphonique ;
— proposant des activités d'entraînement ;
— organisé dans les locaux de l'entreprise ;
— pour un groupe de 6 à 10 personnes ;
— d'une durée de 2 jours au maximum.

D. Vous souhaitez passer un moment agréable avec vos amis français.
Vous recherchez une sortie :
— à l'extérieur ;
— d'une durée maximale de 3 heures ;
— accessible à des personnes peu sportives ;
— organisée en mai ou juin ;
— d'un montant de 25 euros au maximum par personne.

E. Vous venez de vous installer au Canada.
Vous êtes à la recherche d'un emploi :
— situé à Montréal ;
— d'une durée minimale de 4 mois ;
— dans le secteur de la restauration ;
— vous permettant d'être en contact avec le public ;
— ouvert à des personnes ayant au moins 2 ans d'expérience.

2 - Que devez-vous faire ? Trouver un lieu ? Une activité ? Autre chose ?
Pour chaque consigne, identifiez la nature du choix à faire en cochant la bonne réponse
dans le tableau.

	Lieu	Activité	Formation	Travail	Cadeau
A					
B					
C					
D					
E					

Activité 2

1 - Lisez les titres d'annonces ci-dessous.

Dossier A
1. Recherche serveur à temps plein
2. Emploi saisonnier en centre de loisirs
3. Stage en hôtellerie
4. Animateur club de vacances

Dossier B
1. Week-end à l'Auberge des chevreuils
2. Séjour au pays de la Brenne
3. Croisière sur la Loire
4. Une nuit au château

Dossier C
1. Devenir agent immobilier
2. Réussir un concours de la fonction publique
3. Savoir négocier
4. Organiser une réunion

Dossier D
1. Visite du musée des arts décoratifs
2. Sortie au zoo de Beauval
3. L'aquarium de Paris
4. Une journée à la Cité des sciences

2 - D'après ces titres, quel est le thème de chaque dossier ?
Répondez en cochant la bonne réponse dans le tableau.

	Les loisirs	Le monde du travail	La formation
A			
B			
C			
D			

▬ Repérer et classer les informations

Activité 3

Vous êtes en France. C'est bientôt la fête des mères. Vous souhaitez envoyer un cadeau à votre mère. Vous voulez lui offrir :

– un objet de décoration ;
– qui ait une véritable utilité ;
– qui ne consomme pas d'énergie ;
– pas trop lourd pour pouvoir l'envoyer par la poste (au maximum 300 g) ;
– d'un montant de 40 euros au maximum.

Sur un site internet, vous avez trouvé les 4 propositions suivantes. Avec un stylo, surlignez toutes les informations qui correspondent aux 5 critères de votre recherche.

1. Porte documents éléphant	2. Cube réveil en bois	3. Coffret cadeau Trésor de sel d'Himalaya	4. Trophée tête de cerf en carton
C'est un joli objet de décoration... qu'il soit vide ou plein. Cet éléphant tout en métal garde le courrier ou met en évidence les factures à régler... Très pratique, vous n'aurez qu'à le poser sur un meuble. Ce petit éléphant n'a besoin de rien pour fonctionner. Ni pile, ni prise. Il se contente d'accueillir vos documents. Sa trompe vous permet même d'y accrocher des clés. Une idée de cadeau idéale si on cherche quelque chose pour la décoration tout en ayant un véritable usage. Hauteur : 15 cm Largeur : 20 cm Poids : 300 g Prix : 27,90 euros	On dirait un simple cube de bois. Mais cet objet, décoratif et utile, est plus perfectionné qu'il n'y paraît : le cube n'affiche l'heure que si vous le lui demandez. Comment ? Rien de plus simple : claquez des doigts ou tapez des mains et comme par magie l'heure s'affiche. Ce cube est bien entendu équipé d'une fonction alarme très simple à régler. Il fonctionne avec deux piles. Vous pouvez donc le poser n'importe où. Un cadeau à la fois utile et beau. Hauteur : 6 cm Largeur : 6 cm Poids : 200 g Prix : 34,90 euros	Cet élégant coffret renferme un véritable trésor. En effet, il peut décorer votre maison et surtout il contient des blocs de sel « Perle rose » extraits d'une mine de montagne de l'Himalaya. Leur allure de pierre précieuse apporte de l'exotisme sur votre table. Vous aurez de quoi donner du goût à vos plats mais aussi attirer l'attention de tous vos invités ! Un cadeau très original, qui ne consomme pas d'énergie mais qui sait en donner ! Hauteur : 15,3 cm Largeur : 14,3 cm Poids : 500 g Prix : 45 euros	Voici l'une des pièces de décoration les plus à la mode en ce moment : ce trophée en carton tête de cerf. Offrez ce cadeau qui n'a aucune utilité sinon celle de rendre originale une pièce de la maison. Il se présente sous la forme d'un kit très simple à construire. Cet objet respecte l'environnement : il ne consomme pas d'énergie, aucun animal n'a été tué et il a été fabriqué à partir de carton recyclé. Ce cerf peut être décoré avec de la peinture, du papier, etc. Hauteur : 44 cm Largeur : 22 cm Poids : 230 g Prix : 49,90 euros

Activité 4

Observez les objets de l'activité 3. Pour chaque proposition et pour chaque critère proposé, mettez une croix dans la case « Convient » ou « Ne convient pas ».

	1. Porte documents éléphant		2. Cube réveil en bois		3. Coffret cadeau Trésor de sel d'Himalaya		4. Trophée tête de cerf en carton	
	Convient	Ne convient pas	Convient	Ne convient pas	Convient	Ne convient pas	Convient	Ne convient pas
Décoration								
Utilité								
Consommation								
Poids								
Prix								

▬ Comparer et prendre une décision

Activité 5

Vous êtes directeur d'une entreprise en Suisse à Genève. Pour fêter la réussite d'un projet, vous souhaitez organiser une sortie d'entreprise pour vos employés. Vous recherchez une activité :
– en extérieur ;
– prévue pour se dérouler dans la bonne humeur ;
– qui développe la créativité ;
– d'une durée de 4 heures au maximum ;
– pour des personnes ayant une bonne condition physique.

Sur un site internet, vous avez trouvé les offres suivantes :

1. Trophée du lac

Dès votre arrivée au bord du lac Léman, nos animateurs vous attendent pour une activité en plein air à bord de canoës-kayaks.
Par une activité drôle et aquatique, chaque équipe devra se déplacer, communiquer et construire des stratégies efficaces et de qualité. Ce n'est pas la création qui est mise en valeur ici, c'est surtout la capacité à s'orienter et à réfléchir pour naviguer vers différents lieux du lac et résoudre les mystères proposés par les animateurs.

Le repas n'est pas inclus dans l'activité qui dure 3 heures. L'activité s'adresse plutôt aux personnes habituées à pratiquer un sport.

2. Porte à porte

La journée commence à Fribourg, à 14 h, à l'intérieur du cirque. Des professionnels vous attendent pour vous enseigner quelques numéros amusants et des tours de magie.

Direction ensuite l'atelier d'un artiste peintre de la ville. Vous devrez réaliser une création artistique collective, activité qui favorise l'échange au sein d'une équipe.

La sortie se termine par un repas gastronomique dans un lieu magique.

Profitez d'une occasion unique de vivre une expérience différente pendant environ 8 heures. La sortie est ouverte à tous, sans condition d'âge et de forme physique.

3. Concours de cuisine

Cette activité permettra à vos employés de participer à un concours gastronomique dans l'une des salles et cuisines de l'Espace Gruyère.

Nous formons des équipes de 6 à 8 personnes. Chaque équipe affronte, dans la joie et la bonne humeur, les autres en préparant une série de recettes qui permettront de désigner les chefs étoilés.

Pour gagner, vous devez savoir discuter avec vos coéquipiers et faire appel à votre créativité.

À la fin, les délicieux plats seront servis sur place autour d'un repas dans une ambiance chaleureuse.

Comptez au maximum 4 heures pour cette activité ouverte à tous.

4. Création artistique

Participez à un atelier en plein air de sculpture géante. Dans une ambiance agréable, découvrez une nouvelle forme d'expression durant cette activité créative et insolite !

Vous développerez votre esprit d'équipe et la communication pour créer votre œuvre d'art.

Un artiste professionnel vous guidera sur les différentes techniques de réalisation pendant toute l'activité.

Aucun repas n'est prévu durant la réalisation de la sculpture, d'une durée de 3 à 4 heures.

Bonne condition physique recommandée (notamment pour déplacer les objets, parfois lourds, construire, assembler, etc.).

1. Pour chaque proposition et pour chaque critère proposé, mettez une croix dans la case « Convient » ou « Ne convient pas ».

	1. Trophée du lac		2. Porte à porte		3. Concours de cuisine		4. Création artistique	
	Convient	Ne convient pas	Convient	Ne convient pas	Convient	Ne convient pas	Convient	Ne convient pas
Extérieur								
Bonne humeur								
Créativité								
Durée								
Capacité physique								

2. Quelle activité choisissez-vous ?

....

Activité 6

Vous êtes directeur de la même entreprise en Suisse. Cette fois, vous aimeriez organiser une sortie pour d'anciens employés, partis à la retraite. Vous recherchez une activité qui correspond aux critères suivants :
– en intérieur ;
– favorisant la communication ;
– prévoyant un repas ;
– d'une durée de 6 heures minimum ;
– ne nécessitant pas de condition physique particulière.

1 - Pour chaque proposition et pour chaque critère proposé, mettez une croix dans la case « Convient » ou « Ne convient pas ».

	1. Trophée du lac		2. Porte à porte		3. Concours de cuisine		4. Création artistique	
	Convient	Ne convient pas	Convient	Ne convient pas	Convient	Ne convient pas	Convient	Ne convient pas
Intérieur								
Communication								
Repas								
Durée								
Capacité physique								

2 - Quelle activité choisissez-vous ?

....

2 Lire pour s'informer

— Dégager le sens général et la structure du texte

Activité 7

Un texte peut avoir plusieurs objectifs : raconter (texte narratif), argumenter (texte argumentatif), informer (texte informatif), conseiller (texte injonctif).

Lisez les 4 textes suivants et complétez le tableau. Quel est le but de chacun des textes ?

Mettez une croix dans la case correspondante et justifiez.

Texte 1

Pour ou contre la publicité au cinéma ?

Pour

Pour ma part, j'aime le quart d'heure d'attente entre le début de la séance et le début du film lui-même, ça me permet d'avoir ce quart d'heure de retard si commun à Paris, et pouvoir entrer dans la salle alors qu'elle n'est pas tout à fait sombre. Et puis, en tant que revenus complémentaires des salles de cinéma, ce sont les publicités qui font en sorte que vous ayez un tendre fauteuil où vous asseoir confortablement pour regarder le film, surtout s'il dure trois heures.

Contre

Autrefois absente, les revenus apportés par la publicité ont amené les distributeurs à multiplier le temps consacré à la publicité, qui fait à présent au moins un quart d'heure de la séance. Parfois vingt minutes. Un allongement inutile, surtout en voyant que les cinémas indépendants s'en passent. De plus, quand on se rend au cinéma, c'est bien pour éviter de retrouver les mêmes images qu'à la télévision. Or, au cinéma, ce sont les mêmes publicités que sur le petit écran.

D'après http://rue89.nouvelobs.com, janvier 2014.

Texte 2

Hier, je suis allée chez mes parents. Ils habitent en Normandie. Comme c'était une belle journée, on a déjeuné dehors. Ma sœur est venue, des amis aussi. On a fêté mon anniversaire tous ensemble, c'était un très beau moment. J'ai reçu de très beaux cadeaux : une bague en or qui appartenait à ma mère, un collier réalisé par une amie, des dessins de ma nièce et un abonnement d'un an au cinéma. Tout le monde sait que j'adore sortir voir des films. J'y vais seule souvent, parfois avec un ami.

L'après-midi, nous avons fait une promenade au bord de la mer. La plage était déserte, on n'entendait que le bruit des vagues et des mouettes. Il ne faisait pas assez chaud pour se baigner, mais c'était agréable de marcher, de respirer l'air frais de la mer et de profiter du soleil.

Je suis repartie chez moi le soir en train. C'était un beau dimanche d'anniversaire !

Texte 3

Salut Léo,
Si tu veux faire un risotto aux asperges vertes pour 4 personnes, il te faut :
- 1 botte d'asperges vertes plutôt fines ;
- 300 g de riz Carnaroli (si tu ne le trouves pas, prends du Arborio) ;
- 60 g de beurre ;
- 1 petit oignon ;
- un verre de vin blanc ;
- 1 litre de bouillon de légumes chaud ;
- 100 g de parmesan râpé fin ;
- de l'huile d'olive ;
- du sel et du poivre.

Si tu n'as pas de bouillon de légumes, jette un cube déshydraté dans un litre d'eau et mets à bouillir. Pendant ce temps, lave les asperges. Retire les pieds. Coupe ce qui reste en deux : d'un côté la pointe et de l'autre le corps (si cette partie est trop longue, coupe-la en deux pour avoir des morceaux plus petits). Dans une casserole, verse de l'huile d'olive, ajoute l'oignon finement haché et ajoute l'ail (en entier et retire-le en fin de cuisson).
Remue 2 à 3 minutes avec une cuillère en bois. Quand l'oignon commence à devenir blond, ajoute le riz. Monte le feu et laisse le riz griller un peu (mais ne te brûle pas !). Ensuite, verse le verre de vin. Fais « chanter » le riz quelques minutes, en remuant bien.
Verse du bouillon chaud (il faut que le riz soit bien recouvert), baisse le feu.
Remue régulièrement et surtout n'oublie pas de verser un peu de bouillon de temps en temps pour que le riz ne sèche pas. Il faut toujours qu'il soit crémeux.
Ensuite, ajoute les asperges crues (les parties les plus grosses), directement dans le riz 10-12 minutes avant la fin de la cuisson. Puis ajoute les pointes à 4-5 minutes de la fin. En fait, il faut que tous les ingrédients arrivent à la cuisson parfaite en même temps. Arrête la cuisson lorsque le riz est cuit. Ajoute enfin le parmesan et le beurre.
Mélange bien pour qu'ils fondent. Sers très chaud.
Bon appétit !
Appelle-moi si tu as besoin,
Luca

Texte 4

Manger cru, nouvelle tendance en France ?

Ravioli de légumes crus, tarte au citron sans cuisson… Après avoir conquis les États-Unis, la « crusine », la cuisine crue, débarque au pays de la gastronomie.

« Ce n'est pas une mode, c'est plus quelque chose qui est enfin en train d'arriver en France », estime Camila Prioli, créatrice d'une marque de produits crus, Happy crulture, qui expose au « Salon des allergies alimentaires et des produits sans », porte de Versailles. Le sans cuisson a en effet rejoint les autres modes alimentaires que sont le sans gluten, le sans lactose ou le sans sucre. Dans la « crusine », la recette est simple : les aliments utilisés – souvent des graines, fruits, légumes ou algues – ne peuvent être cuits au-delà de 42°C.

Camille Lorente est une crudivore convaincue depuis deux ans. Elle présente au salon un documentaire d'un tour de France crudivore entamé en janvier 2015 qui lui a permis de rencontrer une soixantaine de pratiquants de l'alimentation sans cuisson. Son ami, Thomas Riem, un ancien boulanger, a abandonné le gluten et la cuisson il y a deux ans et s'est « senti guéri de quelque chose », explique-t-il devant leur stand, sobrement décoré de concombres, d'oranges et de bananes.

À l'image du régime paléolithique, qui consiste à se nourrir de fruits de saison, la « crusine » encourage le retour à une alimentation biologique et naturelle. « L'idée c'est d'avoir beaucoup de nutriments pour peu de calories, c'est-à-dire l'inverse de ce qu'on trouve la plupart du temps dans notre nourriture », souligne Camila Prioli. L'absence de cuisson permet de mieux conserver les nutriments (protéines, glucides, lipides, minéraux, vitamines...).

Mais le régime crudivore n'est pas sans danger. « En mangeant des légumes crus, le point positif est qu'on va avoir des apports en vitamines et minéraux, mais cela peut avoir des conséquences négatives sur le système digestif », explique Florence Foucaut, nutritionniste parisienne. « Pour certaines personnes, le risque de développer une allergie est plus élevé que dans la population générale qui mange des aliments cuits », ajoute-t-elle. Parmi les premiers visiteurs du salon vendredi, certains avaient déjà adopté la mode du cru. « Je préfère manger de la nourriture crue et naturelle. Elle est plus saine, donne plus d'énergie », assure Susan Kress, originaire du Texas.

Devant des sachets de fèves de cacao cru, certains visiteurs sont plus sceptiques, à l'image de Séverine Margot : « C'est à tester. Mais j'ai des enfants, je ne peux pas me permettre de ne pas faire cuire les aliments. » Pour Charlotte Ria, co-organisatrice du salon, « il y a une prise de conscience aujourd'hui en faveur d'autres types d'alimentation et de consommation, et la crusine en fait partie ».

AFP, 9 avril 2016.

	Raconter	Argumenter	Informer	Conseiller	Éléments du texte justifiant votre choix
Texte 1					....
Texte 2					....
Texte 3					....
Texte 4					....

Activité 8

Observez le document ci-dessous. Sans lire le texte, répondez au questionnaire de la page suivante.

Fête des voisins : une solution à la peur de déranger des Français ?

Moment de convivialité entre habitants d'un même quartier, la Fête des voisins se célèbre au mois de mai. Une belle occasion pour des Français qui disent avoir besoin de proximité.

Les Français et leurs voisins

Voisins d'immeubles et pourtant si éloignés… D'après un sondage *Viavoice* publié en mai 2014, près de 8 Français sur 10 attendent « un peu de convivialité » de la part de leur voisin. Cette demande arrive avant tout autre service, tel que le prêt de matériel, l'aide au bricolage ou encore la garde d'animaux domestiques en leur absence. Faut-il en conclure que les Français n'aiment pas trop les relations entre voisins ? Pas forcément : **41 % des personnes sondées, soit près de la moitié de la société française, a répondu ne voir « aucun inconvénient à des échanges entre voisins »**. Alors, où est le problème ? L'information la plus révélatrice du sondage est que 33 % des Français ont « peur de déranger ». C'est deux fois plus que « le manque d'envie ». Et puis, 23 % des Français notent le « manque d'occasions ». C'est là qu'intervient notamment la Fête des voisins.

Un peu d'histoire…

Créé en 1999 par Atanase Périfan, un habitant du XVIIᵉ arrondissement de Paris, l'événement a pour objectif de regrouper les habitants autour d'un apéritif ou d'un repas. Un moyen efficace de mieux connaître ses voisins et de lutter contre l'isolement. Résultat : en 2015, plus de 1 000 communes participaient à l'événement, pour un nombre d'habitants concernés grandissant. **Alors que la Fête des voisins avait réuni 10 000 habitants de 800 immeubles lors de sa première édition à Paris, elle en a séduit 8 millions l'année dernière dans toute la France.** Preuve de la réussite de l'opération : celle-ci dépasse les frontières et est désormais proposée en Belgique, au Canada, en Turquie et dans des centaines de villes européennes.

La Fête des voisins 2016

En 2016, la fête se tiendra le **vendredi 27 mai**. Depuis 2010, le jour retenu est systématiquement un vendredi. Mais avant cette date, la Fête des voisins avait lieu le mardi. Le changement de jour rend plus facile l'organisation de la fête pour tous les habitants qui ne travaillent pas le week-end et qui peuvent ainsi profiter plus tardivement de ce moment de partage.

Organiser la Fête des voisins

Si vous souhaitez organiser cet événement dans votre quartier, rien de plus simple ! Il vous suffit de récupérer **l'affiche** dans votre mairie ou sur le site de l'association « Immeubles en fête ». L'association propose quelques conseils pour que la fête soit réussie. Parmi les plus utiles : impliquer ses voisins dans l'organisation, se répartir les tâches, demander à chacun d'apporter quelque chose à manger ou à boire. Autre élément important : **la communication**. Faites un peu de publicité autour de vous : collez l'affiche dans des lieux de passages (hall d'immeuble, boulangerie, etc.), déposez des petits mots dans les boîtes aux lettres de vos voisins, parlez-en aux personnes que vous croisez…

D'après *http:/www.linternaute.com*, mai 2016.

1 - Répondez aux questions.

a - Quel est le titre de l'article ? ....

b - Quelle est la source du document ? ....

c - D'après le chapeau, quel est le thème développé par le texte ?

....

d - Quelles informations apportent les sous-titres ?

....

e - Combien y a-t-il de paragraphes ? ....

f - Quelles informations sont présentes sur l'illustration ?

....

....

g - Quelles informations sont données par les parties en gras (hormis titre, chapeau et sous-titres) ?

....

....

2 - Faites le bilan de cette première analyse. Rédigez un texte de 3/4 lignes au maximum pour dégager le thème principal de l'article.

....

....

....

3 - À présent, lisez le texte dans son intégralité pour compléter votre compréhension du texte. Votre lecture confirme-t-elle ce que vous aviez noté ? Quelles nouvelles informations importantes avez-vous obtenues sur la Fête des voisins ?

....

....

Identifier les différents points de vue

Activité 9

1 - Lisez le texte ci-dessous. Soulignez les verbes d'opinion présents dans le texte.

Les Français sont pour le travail du dimanche mais pas pour eux

Le travail du dimanche pour le voisin, les Français l'approuvent parce qu'il fait du bien à l'économie. Mais hors de question de faire soi-même ce sacrifice dominical.

D'après un sondage réalisé par Odoxa pour *Le Parisien*, 53 % des personnes sondées considèrent le dimanche comme un jour sacré… pour eux-mêmes !

Pourtant, 68 % d'entre eux trouvent que l'ouverture des magasins le dimanche est une bonne nouvelle.

Les raisons de ce refus de travailler le dernier jour de la semaine ? Pour eux, le dimanche doit être reposant (92 %) et familial (91 %). Les Français pensent que ce jour n'est pas comme les autres (66 %) et ils refusent très majoritairement de l'associer au commerce (57 %) ou à une journée permettant de terminer le travail de la semaine (66 %).

Important pour l'économie

Les Français estiment que le travail du dimanche est important pour notre économie (66 % des sondés), même si la majorité des personnes interrogées (54 %) pensent que la nouvelle loi sera inutile pour améliorer le marché du travail. Ils ne sont en effet que 36 % à croire que travailler le dimanche permettra de créer des emplois.

D'après *Le Figaro*, Marie Théobald, 6 décembre 2015.

2 - Notez ci-dessous la forme des verbes trouvés à l'infinitif :

a - ....   e - ....

b - ....   f - ....

c - ....   g - ....

d - ....   h - ....

Activité 10

1 - Relisez le texte de l'activité 9. Comment les Français voient-ils leur dimanche ?
Relevez dans le texte 3 adjectifs qui décrivent ce jour de la semaine.

a - ....

b - ....

c - ....

2 - Que pensent les Français des conséquences économiques du travail le dimanche ? Relevez 2 adjectifs.

a - ....

b - ....

Activité 11

Relevez dans le texte les arguments pour ou contre le travail le dimanche.

Éléments du texte en faveur du travail le dimanche	Éléments du texte contre le travail le dimanche
....	....
....	....
....	....

▬ Relever des informations précises

Activité 12

1 - Il arrive qu'en lisant un texte, vous ne compreniez par certains mots. Ne vous inquiétez, vous avez la possibilité de réussir à les comprendre à partir du contexte ou de la formation du mot. Lisez l'article ci-dessous.

Des feux de signalisation installés au sol pour alerter les « zombies » du portable

SMOMBIES - C'est l'idée que vient d'avoir une ville allemande en réponse au comportement dangereux des « zombies » du téléphone portable.

Ils sont tellement énervants ! Tous les jours, on les croise dans la rue, dans le métro et même parfois dans les rayons des supermarchés. Eux, ce sont les « zombies » du téléphone, ces personnes qui marchent les yeux baissés sur le téléphone, sans regarder ce qui se passe autour d'elles. En Allemagne, où on parle déjà de « smombies » (contraction des mots « smartphone » et « zombie »), la municipalité d'Augsburg a récemment installé des feux de circulation sur le sol, tout spécialement pour ces piétons distraits. Pour le moment, ces feux ont seulement été mis à deux arrêts de tramway particulièrement fréquentés par les étudiants.

Plus concrètement, les feux se mettent à clignoter au rouge à l'approche d'un véhicule et restent au vert quand la voie est libre. « Nous avons compris que de nos jours, de nombreux piétons ne voyaient plus les feux habituels », explique au quotidien *Augsburger Allgemeine* un responsable de la municipalité. D'après les personnes à l'origine du projet, les feux pour piétons installés en hauteur doivent être modifiés pour mieux assurer la sécurité routière.

En France, une étude menée par le constructeur automobile Ford montre que plus d'un Français sur deux (53 %) utilise son téléphone au moment de traverser la route. Pour réduire les risques d'accidents sur des piétons utilisant leur téléphone dans la rue, d'autres villes essaient déjà de proposer de nouvelles solutions. Aux États-Unis, dans l'État du New Jersey, par exemple, un projet de loi interdirait l'utilisation de son téléphone en marchant, avec une amende de 50 dollars pour ceux qui ne respecteraient pas la loi. Et ceux qui recommenceraient seraient punis de quinze jours d'emprisonnement. D'autres villes ont vu apparaître une nouvelle profession : celle de guide pour « zombie » du téléphone. À Stockholm en Suède, la municipalité a même imaginé de nouveaux panneaux routiers. En Chine, la ville de Chongqing, avec ses 28 millions d'habitants, est allée encore plus loin. La ville propose des voies piétonnes réservées aux utilisateurs de smartphones.

Bienvenue dans le futur…

D'après *http://www.metronews.fr*, Matthieu Delacharlery, 29 avril 2016.

2 - Vous ne comprenez pas tous les mots du texte ? Répondez aux questions suivantes en vous aidant du contexte. Cochez la bonne réponse.

a - Qu'est-ce qu'un **feu de signalisation** ?

☐ Un incendie en ville.

☐ Un signal de la circulation routière.

b - Une personne **énervante** est une personne…

☐ très nerveuse.

☐ qui vous rend mécontent.

c - Qu'est-ce qu'une **amende** ?

☐ Une punition sous forme d'argent à payer.

☐ Un fruit avec un noyau.

3 - Vous pouvez aussi vous aider de la composition du mot pour comprendre le sens.
Analysez les mots ci-dessous.

	Quel mot connu pouvez-vous reconnaître ?	Quelle est la signification du mot ?
Fréquenté	....	....
Constructeur	....	....
Réduire	....	....
Emprisonnement	....	....

4 - Si, dans le texte, il reste des mots que vous ne comprenez pas, essayez de rechercher leur sens à partir du contexte ou de leur composition.
Vérifiez ensuite votre analyse dans un dictionnaire.

Activité 13

Relisez le texte de l'activité 12. Pouvez-vous identifier une information précise du texte ?

Lisez les 4 phrases suivantes : sont-elles vraies ou fausses ?

Cochez la case correspondante et recopiez la phrase ou la partie de texte qui justifie votre réponse.

	V	F
a - Les « zombies » du téléphone sont présents dans plusieurs endroits de la ville. Justification :		
b - La ville d'Augsburg a installé des feux au sol dans toute la ville. Justification :		
c - En France, les gens sont prudents lorsqu'ils utilisent leur téléphone. Justification :		
d - À Chongqing, il est interdit de téléphoner dans la rue. Justification :		

Activité 14

Savez-vous identifier les raisons et les effets d'un événement ? Lisez l'article ci-dessous.
Répondez aux questions sur les causes et les conséquences du mauvais temps.

Les cultures et les agriculteurs souffrent du mauvais temps

Le climat humide de ces dernières semaines a des conséquences dramatiques sur l'agriculture. À cause de la pluie, les éleveurs du département des Vosges doivent garder les bêtes au chaud. Cette situation, en effet, les empêche de commencer la transhumance, ce déplacement des troupeaux vers la montagne qui a habituellement lieu à cette saison.

Le mauvais temps provoque également un retard des cultures. En raison d'un manque de lumière et de sols trempés, les plantes ne peuvent pas pousser. C'est pourquoi sur les marchés, vous ne trouverez pas certains fruits et légumes. Les haricots sont jaunes, les cerises restent vertes et les salades ne grandissent pas.

Cependant, le temps pourrait s'améliorer dans les prochains jours grâce à l'arrivée d'un anticyclone sur la région.

1 - D'après le texte, la pluie...

a. ☐ cause l'augmentation des prix.

b. ☐ va continuer quelques semaines.

c. ☐ a des effets négatifs sur l'agriculture.

2 - Les animaux ne peuvent pas partir en montagne...

a. ☐ parce qu'ils sont trop vieux.

b. ☐ parce que la météo est mauvaise.

c. ☐ parce que ce n'est pas encore la saison.

3 - Pour quelles raisons les cultures sont en retard ? *(deux éléments)*

....

....

4 - Quelles sont les conséquences sur les marchés ?

....

5 - Notez dans le texte tous les termes en lien avec les notions de cause et de conséquence.

CAUSE	CONSÉQUENCE
....	....
....	....
....	....

1 Lire pour s'orienter

▶ Lisez bien la consigne. Vérifiez que vous comprenez bien tous les critères.

▶ Lisez les textes une première fois en soulignant toutes les informations utiles pour faire votre choix.

▶ Les informations dans les documents sont données dans le même ordre que les critères.

Lisez ce texte puis répondez aux questions en cochant la bonne réponse ou en écrivant l'information demandée.

Une salle pour un anniversaire

Vous habitez à Tours. Votre meilleur ami français va bientôt avoir 30 ans. Avec sa famille, vous aimeriez lui organiser une fête surprise. Vous recherchez une salle :

— en pleine campagne ;

— à 20 km au maximum de Tours ;

— pouvant accueillir une centaine de personnes ;

— proposant des activités nautiques dans les environs ;

— avec la possibilité de dormir gratuitement sur place.

Sur un site internet, vous avez sélectionné les quatre offres suivantes :

1. La Grotte de La Roche aux Fées

La Grotte de la Roche aux Fées est située dans Tours, à 2 minutes du centre-ville. Ce lieu sera idéal pour votre mariage, une fête familiale, un anniversaire, etc.

La salle est disponible toute l'année et peut accueillir jusqu'à 90 personnes. Un jardin est également à votre disposition.

La salle est proche de plusieurs centres de loisirs (canoë, balades en bateaux sur la Loire, tennis, centre équestre).

Un studio (pour la nuit ou le repos des enfants) pour 4 personnes maximum peut être également loué en supplément (contactez-nous pour déterminer les tarifs).

2. Château de Vaugrignon

Au-dessus de la vallée de l'Indre, le château de Vaugrignon est situé dans un immense parc en pleine nature.

À 15 km de Tours, nous vous proposons toute l'année un grand parc calme avec jardins fleuris, terrasses et salons de jardin.

La grande salle de réception peut recevoir au maximum 180 personnes. Nous vous conseillons 100 personnes pour garder un espace de danse.

Profitez de la piscine sur place et de la possibilité d'une pêche privée dans l'Indre. Canoë et équitation aux alentours.

Plusieurs chambres tout confort sont mises à votre disposition, incluses dans le tarif de location.

3. Domaine des Thomeaux

Le Domaine des Thomeaux est un hôtel restaurant situé dans le village de Mosnes, à 35 km de Tours.

L'établissement vous propose une restauration à base de produits « faits maison » dans un environnement exceptionnel. Le Domaine est conçu pour tous types de manifestations privées.

Notre salle peut accueillir 150 convives au maximum.

Sur place, vous avez la possibilité de pratiquer plusieurs activités (canoë-kayak, bicyclette, pêche, volley-ball). Une piscine est à votre disposition.

Le Domaine propose un tarif global comprenant l'hébergement, la restauration et les différentes activités de loisirs.

4. La Maison du Portugal

Espace complètement neuf, c'est l'endroit idéal pour vos réceptions privées.

Située dans la commune de Monts, à 15 km de Tours, cette salle est en face de la gare SNCF.

Salle avec parking privé et cadre chaleureux.

La location comprend une salle principale permettant d'organiser un événement pour environ 80 personnes, un espace bar, un vestiaire, un ascenseur pour l'accès aux toilettes.

Dans la ville, vous pouvez pratiquer l'équitation, le football, aller en discothèque.

Veuillez contacter la mairie pour obtenir la liste des hôtels et chambres d'hôtes proches.

1 - Pour chaque offre de salle et pour chaque critère proposé, mettez une croix dans la case « Convient » ou « Ne convient pas ». *(0,5 point par case)* 10 points

	1. La Grotte de La Roche aux Fées		2. Château de Vaugrignon		3. Domaine des Thomeaux		4. La Maison du Portugal	
	Convient	Ne convient pas	Convient	Ne convient pas	Convient	Ne convient pas	Convient	Ne convient pas
Situation		X	X			X		X
Distance	X		X			X	X	
Capacité		X	X		X			X
Loisirs	X		X		X			X
Hébergement		X	X		X			X

▸ Lisez les textes une deuxième fois en indiquant dans le tableau si l'annonce correspond ou non à ce que vous recherchez.

▸ N'oubliez pas de bien mettre une croix pour chaque critère et chaque texte. À la fin, vous devez avoir 20 croix.

2 - Finalement, quelle salle réservez-vous ? *(On retirera un point si la réponse à cette question n'est pas logique par rapport aux cases cochées.)*

2. Château de Vaugrignon ....

▸ Répondez à la question en vous appuyant sur les résultats donnés dans le tableau (choisissez l'annonce qui a le plus de croix dans la colonne « Convient »).

▸ Attention, si votre réponse n'est pas cohérente avec les résultats de votre tableau, vous perdrez 1 point !

CE QUE JE RETIENS

▸ Que me demande-t-on de faire ?

▸ Ai-je bien compris les critères ?

▸ Ma réponse à la question est-elle logique ?

Exercice 2 10 points

Lisez le texte, puis répondez aux questions, en cochant la bonne réponse ou en écrivant l'information demandée.

Un sport pour la rentrée

Vous venez de vous installer en Corse, à Bastia, pour un nouvel emploi.

Vous souhaitez commencer une activité sportive :

— qui vous permet de faire de nouvelles rencontres ;

— ayant lieu à partir de 18 heures ;

— 2 fois par semaine au maximum ;

— accessible en transports en commun ;

— coûtant au maximum 200 euros par an.

À la mairie de votre ville, vous avez trouvé les quatre propositions suivantes :

1. Stage de volley-ball

Venez rejoindre l'équipe du club de Calvi pour découvrir ce sport accessible à tous et faire la connaissance d'autres personnes, passionnées de volley-ball.

Programme : 10 h - 12 h : entraînement sur la plage / 12 h - 14 h : déjeuner / 15 h - 17 h : matchs / 19 h - 21 h : dîner en ville.

Le stage dure 4 jours, du vendredi matin au lundi soir.

Le club est accessible en voiture ou en bus. Un train relie Calvi depuis Bastia et Ajaccio.

Tarifs : 450 euros tout compris / 300 euros : stage seul (sans les repas et l'hébergement)

2. Cours de zumba

Vous recherchez une activité nouvelle dans une ambiance sympathique ? Venez vous muscler sur des rythmes de musique latine pour des cours de zumba (entraînement physique proche de l'aérobic et de la danse). Les cours sont aussi l'occasion de rencontrer du monde et de s'amuser.

Les cours ont lieu le lundi (12 h 30 - 13 h 30), le mardi (18 h 15 - 19 h 15) et le jeudi (18 h 15 - 19 h 15). Vous avez la possibilité de venir quand vous voulez (1, 2 ou 3 fois par semaine). Nous sommes situés à Ville-di-Pietrabugno, à 15 minutes en voiture du centre-ville de Bastia.

L'abonnement annuel (accès illimité) coûte 300 euros.

3. Club de tennis de table

Découvrez le sport individuel le plus pratiqué au monde ! Grâce au tennis de table, ou ping-pong, vous développerez des gestes rapides et précis. Ce sera également l'occasion de rencontrer des passionnés de tous âges, pour des compétitions ou des stages.

Les cours ont lieu de 20 h à 22 h, tous les mardis et vendredis.

Pour nous trouver, c'est très simple, 4 lignes de bus partant du centre-ville passent devant notre club (près du lycée Paul Vincensini).

L'adhésion aux cours est possible à partir de septembre pour 145 euros par an.

4. Cours en salle

Envie d'un cours personnalisé ? Nous vous préparons un programme sur mesure. Vous êtes seul avec votre professeur dans la salle pendant une heure. Nous avons des horaires disponibles, du lundi au vendredi de 8 h à 20 h.

Les activités proposées : musculation, Pilates, yoga, etc. Les cours se passent uniquement sur rendez-vous, une ou plusieurs fois par semaine.

La salle se trouve derrière la caserne des pompiers (bus 1, 1b, 5, 8b, 10a et 11).

Le cours à l'unité coûte 25 euros. Il est possible de payer un abonnement mensuel à 80 euros ou annuel à 750 euros.

1 - Pour chaque proposition et pour chaque critère donné, mettez une croix dans la case
« Convient » ou « Ne convient pas ». *(0,5 point par case)* `10 points`

	1. Stage de volley-ball		2. Cours de zumba		3. Club de tennis de table		4. Cours en salle	
	Convient	Ne convient pas	Convient	Ne convient pas	Convient	Ne convient pas	Convient	Ne convient pas
Rencontres								
Horaires								
Fréquence								
Accès								
Prix								

2 - Finalement, quelle activité choisissez-vous ? *(On retirera un point si la réponse à cette question n'est pas logique par rapport aux cases cochées.)*

....

PRÊT POUR L'EXAMEN

① Comprendre les critères de recherche.
② Souligner les informations utiles dans les textes.
③ Choisir la proposition qui a le plus de croix dans la colonne « Convient ».

Exercice 3 `10 points`

Lisez le texte, puis répondez aux questions en cochant la bonne réponse ou en écrivant l'information demandée.

Un restaurant pour vos employés

Vous travaillez à Besançon comme directeur d'une école de langues. Vous souhaitez donner à vos employés la possibilité de déjeuner le midi dans un restaurant du quartier. Vous cherchez un restaurant qui répond aux critères suivants :

— cuisine française ;

— service garanti en 1 heure ;

— menu complet (entrée, plat, dessert et boisson) pour 12 euros ;

— ouvert tous les midis, du lundi au vendredi ;

— proche de la mairie (10 minutes à pied au maximum).

Sur un site internet, vous avez sélectionné les quatre offres suivantes :

1. Les Tables d'antan

Bienvenue au restaurant Les Tables d'Antan, un établissement familial qui vous propose une cuisine traditionnelle régionale.

Si vous êtes pressé, goûtez à notre spécialité, le gratin, servi en 20 minutes. Nous proposons également un menu servi en une heure (plat, salade et dessert) pour 17 euros.

Le restaurant est ouvert les midis à partir de 12 h et les soirs à partir de 19 h.

Fermé le dimanche, lundi midi et mardi midi. Notre établissement est au cœur du centre historique de Besançon. À proximité des commerces du centre-ville, de la mairie et des musées, c'est un endroit idéal pour une pause.

2. Brasserie La Perle

Amateurs de cuisine alsacienne, réjouissez-vous ! Avec ses jambonneaux, sa charcuterie et ses tartes flambées, la Brasserie La Perle vous propose une délicieuse cuisine maison.

Nous proposons une formule spéciale pour les professionnels : service garanti en une heure avec, pour 12 euros, une entrée, un plat, un dessert et une demi-bouteille d'eau.

Nous sommes ouverts tous les jours, déjeuners servis du lundi au dimanche, dîners du mardi au samedi.

Le restaurant se trouve rue Carnot, tout près du Casino de Besançon, à 10 minutes à pied de la mairie.

3. Chez Achour

Situé à Besançon au cœur du quartier Battant, Chez Achour est un restaurant oriental ayant fait du couscous sa spécialité.

Restaurateurs de père en fils depuis 1981, nous vous accueillons dans un cadre à la décoration typique et raffinée. Venez découvrir nos spécialités orientales pour votre pause-déjeuner (service en 45 minutes) ou pour vos dîners. Nous proposons en semaine, le midi uniquement, un menu à 12,90 € (plat, pâtisserie, thé à la menthe). Une carte riche et variée est également à votre disposition.

Le restaurant, fermé le lundi, est une adresse incontournable, à 10 minutes à pied de la mairie.

4. À la Bonne Heure

À la Bonne Heure, c'est le plaisir de découvrir un restaurant rempli de tous les parfums de la cuisine française.

Composez votre entrée en choisissant parmi des bases de salades et des sauces au choix. Personnalisez vos desserts avec des fruits frais et des accompagnements (bonbons, sauces). Si besoin, vous pourrez ainsi manger rapidement (50 minutes en moyenne) et bien !

Formule complète (entrée, plat, dessert et boisson) à 11 euros.

Ouverts tous les jours, midi et soir, nous vous attendons dans notre établissement, à 7 km de Besançon (15 minutes en voiture).

1 - Pour chaque restaurant et pour chaque critère donné, mettez une croix dans la case
« Convient » ou « Ne convient pas ». *(0,5 point par case)*   `10 points`

	1. Les Tables d'antan		2. Brasserie La Perle		3. Chez Achour		4. À la Bonne Heure	
	Convient	Ne convient pas	Convient	Ne convient pas	Convient	Ne convient pas	Convient	Ne convient pas
Cuisine								
Service								
Prix								
Jours								
Situation								

2 - Finalement, quel restaurant choisissez-vous ? *(On retirera un point si la réponse à cette question n'est pas logique par rapport aux cases cochées.)*

....

PRÊT POUR L'EXAMEN

❶ Se concentrer sur les informations essentielles.
❷ Lire chaque texte en complétant le tableau.
❸ Compléter le tableau pour chaque texte et chaque critère.

2 Lire pour s'informer

Lisez le texte suivant puis répondez aux questions en cochant ou en complétant la bonne réponse.

> ▸ Avant de commencer à lire le texte, prenez le temps de l'observer. Prenez connaissance de tout ce qui peut être facilement identifié dans le texte, comme par exemple :
>   – le titre ;
>   – la source du document ;
>   – le chapeau de l'article (petit paragraphe qui introduit le thème) ;
>   – les sous-titres ;
>   – les paragraphes ;
>   – les illustrations ;
>   – les mots en gras, surlignés ou en italique ;
>   – les nombres.
>
> ▸ Avant la lecture de l'article, prenez également connaissance du questionnaire. Cela vous permettra d'avoir une idée de ce qu'on attend de vous au moment de lire le document.
>
> ▸ Pendant la première lecture, surlignez ou entourez toutes les informations pertinentes.

Les régions cherchent à attirer les entrepreneurs

Concours, soutien technique et financier : les régions multiplient les propositions pour séduire les entrepreneurs.

En Auvergne, un système de « résidenceur »

Qui aurait imaginé trouver en Auvergne ce dispositif de « résidenceur » (résidences d'entrepreneurs) ? Deux formules existent. La première est une résidence de courte durée, destinée aux personnes installées en dehors de la région qui souhaitent s'installer en Auvergne. Ce programme inclut le paiement des trajets, de l'hébergement et de la restauration pendant un ou plusieurs séjours de quelques jours. « C'est une formule qui fonctionne bien pour reprendre un commerce existant ou créer une entreprise », note Gérard Lombardi, responsable marketing territorial et emploi à l'Agence régionale des territoires d'Auvergne. Cette aide permet de rencontrer les personnes pertinentes pour s'installer et répondre aux besoins professionnels et personnels.

La formule de longue durée, de deux à six mois, est réservée aux projets plus complexes. Les dépenses professionnelles sont incluses, ainsi qu'un salaire minimum. La formation ou le logement peuvent également être pris en charge.

Depuis 2007, année de création du dispositif, 1 200 entreprises ont pu être créées, ainsi que 1 500 emplois. En 2014, l'Auvergne a créé un troisième programme, d'une durée de 6 mois, pour les entreprises numériques. Ce programme comprend un salaire mensuel de 1 000 euros, un logement financé (500 euros par mois), un espace de travail et un accompagnement personnalisé.

Quitter Paris

Alexandre Chartier, 29 ans, n'a pas hésité à quitter la capitale : le cofondateur d'Ornikar, une plateforme sur Internet qui offre de passer le permis de conduire à moitié prix, s'est installé à Nantes. Il pense que vivre hors de Paris offre beaucoup d'avantages. « Il est plus facile pour nous de recruter des personnes compétentes à Nantes. Il y a d'excellentes écoles et la compétition entre les sociétés est moins forte qu'à Paris. Tout est fait pour réussir. »

À Lyon, la Fondation pour l'université de Lyon a lancé un nouveau programme, ouvert à tous et gratuit. C'est à la fois un programme et un accompagnement à la création d'entreprise. La condition ? Proposer un projet innovant, avec une possibilité forte de développement local. « Ici, tout le monde de la création d'entreprise travaille ensemble : chambre de commerce, universités, investisseurs et pôles de compétitivité », explique Benoît Ducrest, chef de projet.

Trouver le meilleur endroit possible pour leur société, tel était le but de Pierre Lainé et de ses associés Bruno Stefanizzi et Yves Demange, début 2015. « Nous voulions quitter Paris pour nous faire connaître et nous voulions aller vite. » C'est Aix-en-Provence qui remporte la compétition. « Nous avons reçu un accueil exceptionnel et nous avons même reçu une aide pour commencer notre activité. Un prêt qui nous a aidés à nous développer rapidement », résume Pierre Lainé, le cofondateur d'Exalt 3D.

Du Sud au Nord, de l'Est à l'Ouest, chaque région cherche à mener à bien son opération de séduction auprès des entrepreneurs.

D'après *L'Express*, Myriam Dubertrand, 10 novembre 2015.

▸ Répondez au questionnaire. Les questions suivent toujours l'ordre du texte (sauf les 2 premières questions qui sont des questions de compréhension globale).

▸ QCM : lisez bien chaque proposition. Ne cochez qu'une seule réponse (sauf si la question indique qu'il y a plusieurs réponses possibles).

▸ Vrai/Faux : Cherchez dans le texte le passage qui illustre votre choix. Cochez soit la case « Vrai » soit la case « Faux ». Vous devez justifier votre réponse en citant le texte. N'utilisez pas vos propres mots, écrivez simplement la partie du texte qui correspond à votre réponse.

▸ Même si vous n'êtes pas sûr de votre réponse, essayez de répondre à toutes les questions. Vous n'aurez pas de notation négative si vous répondez faux, mais avec un peu de chance, vous pourriez en gagner si vous répondez juste.

1 - Le texte présente des programmes de dimension…   `1 point`

a. ☑ régionale.

b. ☐ nationale.

c. ☐ internationale.

▸ Cette première question est une question à choix multiples (QCM). Il s'agit de vérifier votre compréhension globale du texte (le contexte).

2 - D'après ce document, …   `1 point`

a. ☐ Paris continue d'attirer toujours plus d'entrepreneurs.

b. ☐ les régions françaises ont du mal à faire venir les entreprises.

c. ☑ les entrepreneurs ont de nombreux avantages à s'installer hors de Paris.

▸ Cette deuxième question est également un QCM, toujours sur la compréhension globale du texte. Il s'agit ici de vérifier si vous comprenez la situation présentée dans le document.

3 - À qui s'adresse le programme d'aide de courte durée proposé en Auvergne ? `2 points`

.... *Ce programme s'adresse aux personnes installées en dehors de la région qui souhaitent s'installer* ...

.... *dans la région.* ...

▸ Cette question est une question ouverte. Ces questions portent sur la compréhension détaillée d'un élément du texte, d'une expression, d'une explication ou d'une opinion.

4 - Vrai ou faux ? Cochez la case qui convient et recopiez la phrase ou la partie de texte qui justifie votre réponse. *(4 x 1,5 point)* `6 points`

Le candidat obtient la totalité des points si le choix Vrai/Faux ET la justification sont corrects, sinon aucun point.

	V	F
a. Dans la formule de courte durée, l'aide proposée concerne seulement le remboursement des repas. Justification : *« Ce programme inclut le paiement des trajets, de l'hébergement et de la restauration. »*		X
b. La formule de courte durée peut convenir à quelqu'un qui rachète une activité. Justification : *« C'est une formule qui fonctionne bien pour reprendre un commerce existant. »*	X	
c. Depuis sa création, le dispositif des « résidenceurs » a eu peu de conséquences économiques. Justification : *« Depuis 2007, année de création du dispositif, 1 200 entreprises ont pu être créées, ainsi que 1 500 emplois. »*		X
d. Les aides de la région Auvergne ne sont prévues que pour les commerces. Justification : *« L'Auvergne a créé un troisième programme, d'une durée de 6 mois, pour les entreprises numériques. »*		X

▸ Les questions Vrai/Faux sont des questions de compréhension détaillée. Vous devez identifier dans le texte la phrase ou le passage qui permet de vérifier si la proposition est vraie ou fausse. Pour obtenir le point, vous devez recopier la phrase ou le passage du texte (mettez des guillemets « ... ») qui justifie votre choix et cocher correctement votre réponse (« Vrai » ou « Faux »).

5 - D'après le texte, pour quelles raisons trouve-t-on facilement des personnes avec du talent à Nantes ? *(2 éléments attendus)* `2 points`

.... *Parce qu'il y a d'excellentes écoles et parce que la compétition entre les sociétés est moins forte* ...

.... *qu'à Paris.* ...

6 - Pour participer au programme de l'université de Lyon, il faut... `1 point`

a. ☐ réussir un concours.

b. ☐ payer un droit d'accès.

c. ☑ avoir un projet prometteur.

7 - L'un des avantages du programme lyonnais, c'est... `1 point`

a. ☐ le développement local.

b. ☐ la qualité des aides proposées.

c. ☑ la coordination des interlocuteurs.

8 - Certains entrepreneurs préfèrent la province à Paris car... `1 point`

a. ☑ ils gagnent du temps.

b. ☐ ils dépensent moins d'argent.

c. ☐ leur vie personnelle est meilleure.

▸ N'oubliez pas de relire vos réponses. L'orthographe et la grammaire ne sont pas prises en compte mais ce que vous écrivez doit être compréhensible pour le correcteur.

CE QUE JE RETIENS

▸ D'après l'observation du texte (titre, sous-titres, paragraphes, source, etc.), de quoi parle le document ?

▸ Quelle est l'idée principale du texte ?

▸ Est-ce que j'ai bien lu les questions ?

▸ Ai-je répondu à l'ensemble du questionnaire ?

Exercice 5 `15 points`

Lisez le texte suivant puis répondez aux questions en cochant ou en complétant la bonne réponse.

Louer plutôt qu'acheter !

Les Français se tournent de plus en plus vers la location d'objets ou de services. Les spécialistes appellent cela l'économie de la fonctionnalité.

Est-ce la fin de la propriété ? Un Français sur deux souhaite consommer plus de produits par abonnement, selon une enquête IFOP. Cet intérêt pour la location ne concerne pas l'immobilier – toujours vu comme un patrimoine à transmettre à ses enfants – mais les objets du quotidien.

Le monde de la musique, après avoir été bouleversé par les téléchargements illégaux sur Internet, semble connaître une renaissance avec des sites qui proposent des abonnements illimités. Selon l'enquête IFOP, « 87 % des Français considèrent que la consommation par abonnement est adaptée à la consommation de films, de livres et de produits culturels et de musique ».

Et les objets du quotidien connaissent la même évolution. Pourquoi acheter une voiture quand on habite dans une grande ville, où il existe beaucoup de transports en commun mais peu de parkings ?

Pour 69 % des Français, la location automobile a de l'avenir. L'idée séduit surtout les jeunes, les personnes aisées et ceux qui habitent en ville. Pour eux, la location a un sens écologique : à quoi sert de posséder un outil dont on se sert une fois par an si on peut le partager en louant ? Le terme d' « accumulation » a aujourd'hui une image négative par rapport à une « consommation responsable ».

Pour les couples aux revenus plus modestes, la location est davantage une question de nécessité. Elle permet d'éviter de demander un crédit à la consommation. Selon l'enquête IFOP, les Français envisagent de louer les téléphones portables (55 %), le matériel informatique (51 %) ou encore l'électroménager (30 %) et les meubles (23 %).

Certaines entreprises ont compris les intérêts économiques de cette nouvelle tendance. Le service « UZit », lancé l'an dernier, est proposé par des hypermarchés comme Intermarché, Cdiscount. Ce site permet de louer des téléviseurs, lave-vaisselle, réfrigérateurs, ordinateurs ou smartphones.

Des sites internet se spécialisent. Certains s'adressent aux jeunes parents qui doivent s'équiper d'un matériel à usage limité dans le temps comme la poussette ou le siège auto pour bébé. Ces sites sont utiles aussi pour ceux qui ne veulent pas avoir à transporter tout ce matériel volumineux sur la route des vacances et qui préfèrent pouvoir le louer pour juste une semaine ou deux.

Les particuliers s'y mettent aussi. Le succès des sites de location d'appartements entre particuliers, illustre le phénomène : les Français n'hésitent plus à louer leur habitation pour quelques jours afin de gagner un peu plus d'argent pour les fins de mois difficiles.

Un nouveau modèle économique est en marche !

D'après http://www.ledauphine.com, Élodie Bécu, juillet 2014.

1 - Le document parle d'une nouvelle… 〔1 point〕

a. □ façon de faire ses achats.

b. □ forme de consommation.

c. □ manière d'être propriétaire.

2 - Vrai ou faux ? Cochez la case correspondante et recopiez la phrase ou la partie de texte qui justifie votre réponse. *(3 x 1,5 point)* 〔4,5 points〕

Le candidat obtient la totalité des points si le choix Vrai/Faux ET la justification sont corrects, sinon aucun point.

	V	F
a. L'intérêt pour la location touche tous les biens de consommation. **Justification :** ……………………………………………………		
b. La culture souffre de la consommation sur Internet. **Justification :** ……………………………………………………		
c. Les abonnements peuvent s'appliquer à d'autres objets que les magazines. **Justification :** ……………………………………………………		

3 - D'après le texte, la voiture en ville pose des problèmes de... `1 point`

a. ☐ sécurité.

b. ☐ circulation.

c. ☐ stationnement.

4 - Quelle signification donnent les jeunes Français au fait de louer des objets ? `2 points`

....

5 - Les personnes moins riches louent des objets parce qu'elles... `1 point`

a. ☐ préfèrent en changer souvent.

b. ☐ ne souhaitent pas emprunter de l'argent.

c. ☐ aiment l'idée de partager des biens de consommation.

6 - Vrai ou faux ? Cochez la case correspondante et recopiez la phrase ou la partie `1,5 point`
de texte qui justifie votre réponse.

*Le candidat obtient la totalité des points si le choix Vrai/Faux ET la justification sont corrects,
sinon aucun point.*

	V	F
Les entreprises se rendent compte des avantages de la location d'objets pour leur économie. **Justification :**		

7 - Quel type de matériel proposent les sites destinés aux jeunes parents ? `2 points`

....

8 - Les Français se mettent de plus en plus à louer... `1 point`

a. ☐ leur domicile.

b. ☐ leur automobile.

c. ☐ l'électroménager.

9 - La location de ses propres biens a un intérêt... `1 point`

a. ☐ social.

b. ☐ financier.

c. ☐ professionnel.

PRÊT POUR L'EXAMEN

❶ Bien observer le texte, le titre, les paragraphes pour définir
l'idée générale du texte.

❷ Prendre le temps de bien comprendre les questions et toutes
les propositions de réponses.

❸ Souligner dans le texte tous les éléments de réponse.

Lisez le texte suivant puis répondez aux questions en cochant ou en complétant la bonne réponse.

Transports : la gratuité, « c'est un choix politique »

En France, déjà trente territoires proposent des transports en commun gratuits, « soit plus d'un million deux cent mille usagers », calcule Bruno Cialdella, membre du collectif « Pour la gratuité des transports publics dans l'agglomération grenobloise ». Hier, et encore aujourd'hui, le collectif a pu favoriser les échanges grâce à une rencontre sur ce thème. Des intervenants d'Aubagne et de Tallinn, capitale d'Estonie, sont invités à partager leurs expériences sur le passage à la gratuité. Et dans le public, des représentants de Metz, Lille, Rouen, Nancy ou encore Alençon. « Oui, la question de la gratuité se développe. Ici, on a déjà organisé plusieurs rencontres et cela a donné naissance à d'autres organisations : il y a le collectif de l'agglomération de Grenoble, qui s'occupe de l'organisation, plus quatre collectifs locaux à Fontaine, Saint-Martin-d'Hères, Saint-Égrève et Échirolles ».

Le financement de la gratuité

Les militants rencontrent de nombreuses personnes globalement en accord avec leur mouvement lors des distributions de tracts dans la rue, mais la question du financement revient constamment comme un obstacle supposé : « Certaines personnes ont peur que la gratuité entraîne une augmentation des impôts, » explique un membre du collectif. Alors, Bruno Cialdella et ses camarades tentent de reprendre le débat : « Le financement de la gratuité divise les gens. Il faut expliquer pourquoi et pour qui cette gratuité est capitale. »

Il explique que la gratuité des transports « permet d'accéder au droit à la mobilité. Il est indispensable de pouvoir se déplacer pour travailler, faire ses courses ou aller à l'école. » Par ailleurs, la gratuité augmente le pouvoir d'achat : « Le budget dédié au transport est trop lourd pour certaines familles. Et les conditions permettant d'obtenir des tarifs solidaires ne concernent pas tous les pauvres. » Et si on fait remarquer à Bruno Cialdella que les plus riches ne prendront pas le bus, même gratuitement, la réponse est directe : « C'est une idée fausse car les salariés des grandes entreprises qui ont de très bons revenus prennent déjà le bus ou le tramway. »

L'introduction de la gratuité des transports avec, pour conséquence, l'abandon de la voiture en faveur des transports en commun, a des avantages innombrables. Des bénéfices pour la santé, une diminution de la pollution et des embouteillages, une solidarité entre citoyens plus importante sont autant de raisons qui donnent du poids à la gratuité des transports. Sauf que la gratuité a un coût. Qui pourra le prendre en charge ? « C'est un choix politique. Aujourd'hui, certains élus préfèrent réaliser des travaux pour améliorer la circulation routière… jusqu'à ce qu'il y ait à nouveau trop de voitures et de camions sur la route, » ajoute Bruno Cialdella.

Il reste néanmoins beaucoup de sujets à aborder : avec la gratuité, que deviendra le personnel chargé de la billetterie et du contrôle ? Comment s'assurer de la qualité du service ?

Les débats et l'échange d'expériences vont se poursuivre encore un moment.

D'après *http://www.ledauphine.com*, Katia Cazot, 15 mai 2016.

1 - Dans cet article, il est question… `1 point`

a. ☐ d'améliorer

b. ☐ de développer ……les transports.

c. ☐ de rendre plus accessible

2 - Le fait de proposer des transports gratuits est une décision que doivent prendre… `1 point`

a. ☐ les citoyens.

b. ☐ les élus locaux.

c. ☐ les services de transports.

3 - Vrai ou faux ? Cochez la case correspondante et recopiez la phrase ou la partie de texte qui justifie votre réponse. *(4 x 1,5 point)* `6 points`

Le candidat obtient la totalité des points si le choix Vrai/Faux ET la justification sont corrects, sinon aucun point.

	V	F
a. Le collectif a organisé une rencontre nationale à Grenoble. Justification : ………………………………………………………………… ………………………………………………………………………………………		
b. Les précédentes rencontres ont permis d'élargir le réseau. Justification : ………………………………………………………………… ………………………………………………………………………………………		
c. Beaucoup de personnes sont d'accord avec les propositions du collectif. Justification : ………………………………………………………………… ………………………………………………………………………………………		
d. Les moyens financiers pour proposer des transports gratuits restent un problème majeur. Justification : ………………………………………………………………… ………………………………………………………………………………………		

4 - Qu'est-ce qui inquiète certaines personnes avec la gratuité des transports ? [2 points]

....

....

5 - La proposition du collectif... [1 point]

a. ☐ énerve

b. ☐ ennuie   ...les citoyens.

c. ☐ partage

6 - Quels exemples sont donnés pour montrer l'importance du droit à la mobilité ? [2 points]
(plusieurs réponses possibles, deux éléments attendus)

....

....

7 - D'après Bruno Cialdella, les personnes aux revenus élevés circulent beaucoup... [1 point]

a. ☐ à vélo.

b. ☐ avec leur voiture.

c. ☐ en transports publics.

8 - À l'heure actuelle, il semble que la proposition du collectif... [1 point]

a. ☐ mérite encore d'être discutée.

b. ☐ ne soit pas près d'être réalisée.

c. ☐ soit sur le point d'être abandonnée.

PRÊT POUR L'EXAMEN

❶ Ne cocher qu'une seule réponse dans les QCM.
❷ Recopier la partie du texte qui illustre la réponse pour les questions Vrai/Faux.
❸ Prendre le temps de relire ses réponses.

PRÊT POUR L'EXAMEN !

Communication

- Choisir
- Conseiller
- Décrire
- Expliquer
- Exprimer des émotions
- Exprimer son accord
- Exprimer son point de vue
- Exprimer un désaccord
- Informer
- Raconter

Socioculturel

▸ Comprendre des textes simples d'annonces (restaurants, hôtels, activités, stages, etc.)

▸ Identifier un événement ou un fait dans l'actualité

▸ Utiliser des sources d'informations variées : radio, presse, télévision, Internet

Grammaire

Temps et modes :
– Indicatif
– Conditionnel présent
– Subjonctif présent
– Impératif
– Passif

Connecteurs temporels

Connecteurs logiques

Pronoms relatifs

Phrases complexes

Vocabulaire

▸ Actualité
▸ Études
▸ Idées
▸ Loisirs
▸ Médias, information
▸ Restaurants
▸ Travail

STRATÉGIES

1. Je lis une première fois le texte sans chercher à tout comprendre.

2. Je souligne toutes les idées importantes du texte.

3. J'essaie de comprendre les mots inconnus à l'aide du contexte ou de leur composition.

4. Je réponds aux questions dans l'ordre (les questions suivent l'ordre de présentation des informations du texte).

Informer

Voici une information importante.

L'enquête nous montre que les Français partent de plus en plus en vacances en France.

Je vous annonce que la rencontre aura lieu dimanche.

Le jury du festival vient de communiquer son palmarès.

Choisir

Je prendrais bien un café.

Si vous voulez passer de belles vacances, réservez au plus vite !

Je vais réfléchir avant de faire mon choix.

Conseiller

Si vous partez ce week-end, nous vous conseillons d'éviter les autoroutes.

Le chef recommande d'acheter des légumes frais.

Si vous voulez un conseil, ne travaillez pas à la maison.

À votre place, j'aurais accepté l'offre d'emploi.

Exprimer son point de vue

Il me semble que le tourisme est en pleine croissance dans cette région.

D'après le journaliste, les négociations vont mal se passer.

Personnellement, je suis pour la baisse des impôts.

Exprimer son accord

Effectivement, je suis tout à fait d'accord avec vous.

Nous sommes du même avis.

Ce que vous dites est vrai.

C'est exact.

Absolument.

Exprimer un désaccord

Les jeunes se sont exprimés contre le nouveau projet de loi.

Il se trompe lorsqu'il parle de progrès scientifiques.

Vous avez tort.

C'est inacceptable.

Je ne suis pas sûre que cette idée fonctionne.

Comme d'habitude, tout le monde exagère.

Exprimer des émotions

Nous sommes ravis de participer à cette rencontre.

L'actualité est parfois déprimante.

Je m'inquiète pour son avenir.

Il ne faut pas avoir peur.

Ce changement le rend furieux.

Je trouve ça incroyable. C'est surprenant.

Parler d'actualité

Une information

Un fait

Un entretien

Une enquête

Une réaction

Une négociation

Parler de travail

Un poste

Un employé

Un responsable

Un fonctionnaire

Un ouvrier

Un atelier

Un secteur économique

Un contrat de travail à temps partiel

Parler de loisirs

Une activité

Un goût

Un intérêt

Un spectacle

Une exposition

Une représentation

Exprimer des idées

Une pensée

Une conscience

Un jugement

Une réflexion

Une conclusion

Une hypothèse

Une preuve

Une raison

Une cause

Un effet

Parler des études

Un programme

Un concours

Un stage

Un campus universitaire

Un diplôme

Je suis prêt ? Les 4 questions à se poser

1. Est-ce que je comprends bien la consigne ?

2. Suis-je capable de comprendre l'idée générale d'un texte d'après son titre, son organisation et ses éventuelles illustrations ?

3. Est-ce que je comprends la position de l'auteur ou des personnes qui donnent leur avis dans le texte ?

4. Est-ce que je peux comprendre le sens d'un mot d'après son contexte ou sa construction (préfixe, suffixe, famille) ?

✓ À faire

AVANT L'EXAMEN

☐ **s'entraîner à effectuer des** choix sur Internet
(choisir un restaurant, un hôtel, un sport, un stage, etc.)
☐ **lire régulièrement la** presse francophone
(articles courts de la vie quotidienne)
☐ **créer des** listes de vocabulaire et d'expressions utiles

LE JOUR DE L'EXAMEN

☐ analyser la structure du texte : repérer
sa fonction et son organisation
☐ bien lire la consigne et les questions
avant de lire le texte
☐ souligner les réponses dans le texte
(attribuer des numéros correspondant
aux numéros des questions)
☐ donner des réponses claires et précises,
il n'est pas nécessaire de faire des
phrases longues
☐ prendre le temps de relire ses réponses
pour corriger les éventuelles erreurs
(orthographe, accords)

Production
écrite

COMPRENDRE

L'ÉPREUVE

La production écrite est la troisième épreuve collective de l'examen du DELF B1.

Durée totale de l'épreuve	**45 minutes**
Nombre de points	**25 points**
Nombre d'exercices	**1 exercice**
Quand commencer à écrire ?	**Après avoir bien lu et analysé la consigne, avoir réfléchi aux éléments de réponse et au plan à suivre**
Combien de mots écrire ?	**160 mots minimum**

Objectifs de l'exercice

Exercice — **Exprimer une attitude personnelle sur un thème relatif à l'éducation ou au monde professionnel**
Écrire un texte construit et cohérent de 160 mots minimum

LES SAVOIR-FAIRE

Il faut principalement être capable de :

Décrire, raconter, exposer des faits

Exprimer ses sentiments, faire part de ses réactions

Donner son opinion et la justifier

Écrire un texte construit et cohérent
- introduction : Quel sujet ?
- développement : Quelle(s) question(s) ? quelle(s) réponse(s) ?
- conclusion : Quelle opinion personnelle ?

Les statistiques montrent que dans les grandes villes, les gens vont au travail de plus en plus à vélo même si la voiture reste encore le premier moyen de transport.

Je suis d'avis que les salariés doivent prendre conscience que les déplacements quotidiens ont un impact sur l'environnement et **on peut se réjouir** de l'évolution des pratiques.

C'est pourquoi **il me semble important que** les employeurs prennent aussi des mesures financières **pour** encourager les transports « écologiques ».

Si on veut que la planète reste propre, **il sera utile** de développer des moyens de transport qui deviennent de moins en moins polluants.

LES EXERCICES ET LES DOCUMENTS

	Supports Possibles	Type de production	Nombre de points
Exercice Rédiger un message simple DOMAINE ÉDUCATIONNEL OU PROFESSIONNEL	Situations ayant trait à des situations scolaires ou de formation ou relatives au monde du travail	Une lettre formelle ou informelle Un essai dans le cadre d'un forum, d'un blog sur Internet Un article de journal	**25 points**

LA CONSIGNE

La consigne générale indique toujours le contexte, le statut du rédacteur et du destinataire. La situation est donnée et la consigne précise les événements ou les faits à décrire et les sentiments ou l'opinion à développer.

Le format de lettre permet de répondre à une personne (*Monsieur, Cher Pierre, Bonjour…*), de réagir à une proposition et, en dernière partie, de remercier ou demander une réponse.

Le format d'un essai permet de s'exprimer spontanément et librement. Le texte peut être lu par un grand nombre de personnes parce qu'il peut paraître sur Internet (forum, réseau social…).

Le format d'un article permet de s'adresser à un public déjà informé sur un thème connu. Le texte propose des idées ou des expériences nouvelles qui développent le sujet général (journal de quartier, magazine des étudiants, bulletin de l'entreprise…).

LES RÉPONSES

L'objectif de la production est de décrire des faits ou événements et de faire part de ses réactions (sentiments, opinion).
L'exercice doit présenter un texte construit et cohérent avec trois ou quatre parties distinctes.
Le nombre de mots doit être respecté : au minimum 160 mots.

CONSEILS

- Respecter la situation culturelle du rédacteur et du destinataire (formel, informel).
- Écrire des paragraphes avec des mots de liaison et des connecteurs logiques (cause, conséquence, concession).
- Traiter le sujet demandé à partir de vos expériences personnelles ou connaissances générales.
- Éviter les répétitions, varier le vocabulaire.
- Compter une dernière fois le nombre de mots et indiquer précisément le nombre de mots utilisés à la fin du texte.

1 Écrire un texte construit

▬ Compter les mots

Activité 1

Lisez le texte et comptez le nombre exact de mots.

En 2016, la ville de Lille fait son retour dans le *Guide gastronomique* Michelin grâce à un nouveau chef. Âgé de 46 ans, Nicolas Pourcheresse a été formé chez les plus grands chefs gastronomiques français. Entre 2011 et 2013, il a fait le tour du monde pour découvrir d'autres cuisines. C'est un spécialiste des produits locaux et des herbes aromatiques. « *Ma cuisine doit être pure et brute !* ».

Nombre de mots exact : ....

Activité 2

Lisez le texte et notez le nombre 10 après chaque groupe de 10 mots. Quel est le nombre total ?

Pendant la première semaine du climat à l'école française, du 5 au 10 octobre 2015, un groupe d'assurances a fait une enquête nationale. Il voulait connaître l'avis des parents et des professeurs sur « l'éducation à l'environnement et au développement durable ». On voit que la majorité est d'accord pour donner une large place à ces thèmes à l'école. 94 % des parents et 96 % des professeurs sont sûrs que cela profitera aux enfants.

Nombre total de mots : ....

▬ Structurer un texte

Activité 3

Vous écrivez un message à un ami. Vous avez trouvé un job d'été dans un restaurant de bord de mer. La première journée a été difficile et vous ne savez pas si vous allez rester 4 semaines dans ce travail. Vous demandez des conseils à votre ami. Rédigez ce message.

Écrivez 2 ou 3 phrases pour les différentes parties du message selon le plan suivant :
1. la situation générale
2. les problèmes rencontrés
3. la demande de conseils

....

....

....

Activité 4

Un ami ou une amie veut arrêter ses études. Vous lui envoyez un message électronique pour donner votre avis en parlant de votre situation personnelle d'étudiant (80 mots environ).

Vous donnez des exemples précis pour illustrer votre avis.

Expressions à utiliser : *Je vais prendre un exemple - Ça me rappelle… - Imagine que… - Ça me fait penser à… - Ce que je veux dire, c'est que… - Finalement…*

....

....

....

Activité 5

Le responsable de votre service vous demande de présenter les avantages de placer 3 ou 4 employés dans un même bureau (80 mots environ).

Vous organisez les avantages en utilisant au choix :
tout d'abord, en premier lieu, de plus, ensuite, par ailleurs, pour terminer, en définitive.

....

....

▬ Rédiger des types de texte

Activité 6

Classez les expressions dans la bonne colonne.
Cher Monsieur / amicalement / je t'ai dit que j'avais un nouveau travail ? / j'aimerais tout d'abord préciser / certaines personnes disent que les robots sont utiles à la maison / la tablette numérique, ça n'a aucun intérêt ! / En revanche, il est urgent de prendre cette mesure très rapidement / la population devra accepter la révolution numérique / J'en suis sûr, Internet c'est la fin des bibliothèques.

Lettre personnelle	Article de journal	Note professionnelle

Activité 7

Écrivez trois textes sur le même sujet selon le type de texte demandé.

Sujet : Vous pensez que le travail à distance est plus pratique, efficace et économique que la présence quotidienne au bureau. Vous rédigez en 80 mots environ :

Un témoignage sur un forum Le style est libre et familier.	Un article pour un magazine Les informations sont structurées et générales.	Une lettre formelle Vous parlez à une personne supérieure, le style est précis.

2 Décrire, exposer des faits

▬ Exprimer des informations sur le lieu, le temps, la manière, la cause

Activité 8

Vous êtes secrétaire de l'association des parents d'élèves. Vous envoyez un message aux familles des élèves correspondants qui vont passer deux semaines dans l'école de vos élèves. Vous expliquez quelle est la localisation de l'école dans votre ville. Vous devez rassurer les parents (transports faciles, proximité de services, de commerces, sécurité…). (100 mots environ)

Vous pouvez utiliser : *se trouver, être situé, proche de, éloigné de, au centre de, près de, au nord/au sud…de, entre, devant/derrière, à l'extérieur de, au coin de…*

Activité 9

Vous êtes le directeur d'une chaîne de boulangeries dans la région. Vous écrivez à tous les responsables des magasins pour décrire les obligations d'ouverture de chaque boulangerie (horaires, jours de travail, ouverture pour les fêtes, pendant les vacances…). (80 mots environ)

Vous pouvez utiliser : *durer, continuer, recommencer, de… à, jusqu'à, pendant, depuis, quotidien, hebdomadaire, continu, tôt/tard, de temps en temps, tous les…, trimestre, période, matinée/soirée.*

....

....

....

Activité 10

Un magazine recherche des témoignages : « Quelle était la vie professionnelle de vos grands-parents ? » Vous racontez le début de carrière, les changements de vie, le départ en retraite. (100 mots environ)

Vous pouvez utiliser : *à ce moment-là, alors, ancien, vieux, récent, autrefois, pendant que, avant, commencer, au début, à partir de…, s'arrêter, à la fin.*

....

....

....

Activité 11

Une grande enquête de la ville est lancée auprès de toute la population pour répondre à la question « Comment améliorer la qualité de vie à l'école ? »

Choisissez votre rôle : élève, parent, commerçant, employé scolaire, professeur…

Vous décidez d'envoyer un courrier pour répondre. (80 mots environ)

Vous pouvez utiliser : *intérêt, qualité, juger, évaluer, apprécier, meilleur, accepter, satisfaire, satisfaisant/insuffisant/acceptable, corriger, correspondre à, succès, réussir, obtenir, arriver à, avoir besoin de, habitude/surprise.*

....

....

....

Activité 12

Pour des raisons environnementales, l'entreprise ferme définitivement le parking automobile à tous les employés. Vous êtes le responsable du personnel et vous expliquez pourquoi dans la lettre mensuelle de l'entreprise. (80 mots environ)

Pour exprimer la cause, **vous pouvez utiliser** : *parce que, en raison de, du fait de, causer, provoquer, car, étant donné que, la cause, la raison.*

....

....

....

— Organiser une présentation factuelle

Activité 13

Vous écrivez à un ami ou une amie français(e) qui vient d'obtenir son diplôme et qui veut venir travailler dans votre pays. Vous lui présentez comment on recherche un premier emploi dans votre pays. (80 mots environ)

Vous insistez en utilisant : *c'est… que* ou *ce sont… qui.*

Vous répétez avec un pronom : *La responsable,* **elle** *est vraiment sympa. / Ce travail, je* **le** *connais bien.*

Vous mettez en évidence : *Remarquez bien que…/ Attention, / Pour être clair / Ce que je veux dire, c'est que…*

....

....

....

Activité 14

Sur un forum francophone, beaucoup de lecteurs veulent savoir comment se passe un jour férié en France pour le commerce. Vous choisissez un jour ou une fête célèbre en France et vous présentez ce qui se passe pendant cette journée. (80 mots environ)

Vous pouvez faire : *une liste d'actions, préciser le temps, la durée, les lieux, les habitudes.*

....

....

....

3 Raconter une situation passée ou possible

— Introduire et développer une histoire

Activité 15

Vous envoyez votre réaction à la rédaction de la lettre mensuelle de votre entreprise qui a publié l'annonce suivante : « *L'entreprise ne financera plus les repas de midi et il sera interdit de manger dans les bureaux. Vous devrez prendre une pause de 20 minutes minimum et sortir de l'entreprise pour déjeuner.* » Vous réagissez en introduisant l'exemple d'un ami qui travaille dans une autre entreprise et qui a le droit de manger dans son bureau. (80 mots environ)

Vous pouvez utiliser : *à propos de…, ça me fait penser à…, j'aimerais vous parler de…, et si je vous disais que…*

....

....

....

Activité 16

Vous lisez cette affiche à l'université.

À l'occasion de la 16ᵉ journée nationale du sommeil, le Pôle universitaire vous invite à deux temps de pause en mars.

Vous êtes invités à mettre l'université en « pause » !

Une expérience unique
- à votre bureau,
- en amphi,
- au café...

Essayez la sieste flash !

La vraie sieste flash :

Éteignez vos téléphones portables.

Asseyez-vous sur une chaise, si possible la tête posée.

Laissez vos deux bras libres et prenez dans une main vos clés par exemple.

Détendez-vous pour vous mettre à l'aise et fermez les yeux.

Vous n'avez plus qu'à vous laisser rêver et peut-être vous endormir !

Lorsque les muscles seront détendus, les clés tomberont au sol et cela vous permettra de reprendre vos esprits. Vous vous serez ainsi reposé(e) en quelques minutes.

D'après *https://www.univ-rennes2.fr/simpps/actualites/journee-nationale-sommeil*

Vous faites l'expérience et vous racontez cela à un ami. Pour parler de cette histoire, vous présentez en deux phrases la situation générale, puis vous introduisez votre expérience et exprimez le sentiment que vous avez ressenti. (60 mots environ)

Activité 17

Vous venez d'apprendre que, dans votre entreprise, les vacances d'été seront plus courtes cette année. Vous envoyez un message à un ami pour lui donner cette information qui vous semble inacceptable. (100 mots environ)

Vous pouvez utiliser : *Écoute, tu sais que…, je t'ai dit que… ?, j'ai appris que…, il faut que je te dise…, tu ne connais pas la nouvelle ?*

....

....

....

....

Activité 18

Vous recevez ce message.

> Alors, qu'est-ce qu'on fait pour le cadeau de départ de Baptiste ? Il va partir pour six mois en stage en Afrique et il va nous manquer dans le groupe de copains. Tu sais quoi ? J'ai l'idée de lui offrir un album photos avec tous nos plus belles et folles soirées. Ce serait comme un souvenir de nous qu'il emporte avec lui. Qu'est-ce que tu en penses ?

Vous répondez. Vous n'êtes pas d'accord et vous proposez une autre idée. (80 mots environ)

Faites 2 ou 3 phrases pour les différentes parties du message selon le plan suivant :

Plan à respecter :

1. Vous expliquez pourquoi l'idée n'est pas bonne.

2. Vous introduisez l'autre idée de cadeau.

3. Vous décrivez l'intérêt de ce cadeau.

....

....

....

....

Activité 19
Souvenirs d'école

Racontez votre plus beau souvenir de l'école primaire.

Vous rédigez 5 phrases pour présenter le plan de votre texte.

D'abord… ....

D'ailleurs,… ....

Ensuite, … ....

Enfin,… ....

En conclusion… ....

Exprimer les notions de temps, d'hypothèse

Activité 20

Comment le temps de travail change-t-il les habitudes de repas ?

Vous répondez à la question avec des exemples entendus dans votre famille.

1. Autrefois, les parents de mes grands-parents travaillaient tous les jours… mais ils prenaient des petits-déjeuners très variés…

....

....

....

....

2. Pour mes grands-parents, le travail était… et le déjeuner se passait à la maison avec toute la famille…

....

....

....

....

3. Quand j'étais enfant, mes parents travaillaient jusqu'à 17 h et après ils… On se retrouvait le soir à la maison et nous mangions…

....

....

....

4. Aujourd'hui, je travaille toute la journée et ma pause déjeuner se passe… Le soir, je mange parfois dans la cuisine mais je ne prépare pas beaucoup….

....

....

....

5. J'espère que dans 10 ans, la vie au travail sera plus agréable… On m'apportera des plats… Et le soir, je pourrai choisir mes repas…

....

....

....

Activité 21

Préparez l'avenir de votre quartier ! Écrivez à l'association « Des projets plein la tête » pour proposer des changements réalistes pour le confort des habitants (transport, sécurité, espaces verts, vie des familles, commerces…).

Faites 8 phrases environ.

Vous pouvez utiliser : *si, au cas où, en cas de, je voudrais, j'aimerais que…*

....

....

....

4 Exprimer des sentiments

— Exprimer les émotions

Activité 22

Classez les expressions en fonction de l'émotion exprimée : *J'en ai assez - tu n'as pas l'air bien - ça m'angoisse - je suis ravi - je suis tellement content - ça m'inquiète - ça me rassure - ça me va très bien.*

Tristesse ➔ ....

Peur ➔ ....

Joie ➔ ....

Satisfaction ➔ ....

Activité 23

La majorité des personnes qui travaillent pensent que leur carrière les empêche de vivre.
Métro. Beaucoup de boulot. Dodo. Un peu plus d'une personne sur deux (56 %) en France pense que le travail prend trop de place dans la vie de tous les jours.

D'après *Directmatin.fr*, 5 avril 2016.

Vous écrivez un message au journal pour exprimer vous aussi votre fatigue et votre insatisfaction au travail qui ne permet plus d'avoir une vie personnelle heureuse. (60 mots environ)

....

....

....

Activité 24

L'école donne envie de lire !
Une initiative très intéressante est lancée à l'école : des auteurs, des dessinateurs de BD, des libraires viennent une fois par semaine pendant la pause déjeuner pour rencontrer les élèves qui le souhaitent. C'est une chance incroyable de parler avec des adultes qui aiment, qui créent des livres et qui peuvent aussi raconter des histoires à haute voix. Et ça marche, de plus en plus d'enfants viennent à la bibliothèque !

Votre enfant participe régulièrement à cette expérience très positive et vous racontez pourquoi vous êtes satisfait(e) de l'initiative. (80 mots environ)

....

....

....

Activité 25

Que détestez-vous le plus ?
Exprimez votre insatisfaction en une phrase.

Au travail ➔ ....

Dans les transports ➔ ....

Dans la rue ➔ ....

Au restaurant ➔ ....

En voiture ➔ ....

▬ Interagir à propos de sentiments

Activité 26

L'Atelier des bricoleurs chez Leroy Malin
Du mercredi au dimanche, venez réaliser de nombreux objets et concrétiser vos projets. Nous mettons à disposition gratuitement nos machines. Vous pourrez couper, bricoler, peindre, imprimer en 3D…

Vous êtes venu(e) la semaine dernière chez Leroy Malin pour bricoler mais rien n'a fonctionné : les machines étaient en panne, il y avait trop de clients et pas de vendeur pour vous conseiller. Vous écrivez au responsable du magasin pour lui faire des reproches et réclamer un meilleur service. (100 mots environ)

....

....

Activité 27

Cette semaine, votre enfant est en voyage scolaire à l'étranger. Il(elle) est très inquiet(-iète) parce que son petit chat est très malade. Après votre visite chez le vétérinaire, vous envoyez un message à votre enfant pour le(la) rassurer. (50 mots environ)

....

....

▬ Faire part de ses réactions

Activité 28

En face de chez vous, la ville a décidé de construire un centre commercial avec coiffeur, banque, supermarché, services médicaux. Il y aura un grand parking pour accueillir les habitants de la banlieue. Dans le journal de la ville, vous voulez publier un texte pour exprimer votre réaction.
Écrivez deux textes. (60 mots environ pour chaque texte)

1. Vous êtes content, exprimez votre accord mais avec quelques réserves. Vous expliquez pourquoi et proposez d'améliorer le projet.

....

....

2. Vous êtes très mécontent et exprimez votre désaccord. Vous proposez une autre solution et vous l'expliquez.

....

....

Activité 29

> Notre nouvelle auberge de jeunesse ouvre ses portes le 5 octobre !
> Cet immeuble de quatre étages et de 200 places respecte toujours une politique de prix très bas, l'excellente qualité des équipements et un environnement très favorable aux rencontres.

L'office de tourisme vous a invité à passer la nuit du 5 au 6 octobre au moment de l'ouverture de l'auberge de jeunesse. Vous devez ensuite écrire un texte pour motiver les étudiants à venir.
(80 mots environ)

....

....

Activité 30

Le bibliobus du quartier nord de la ville recherche un animateur.

Chaque jour, notre bus vert s'installe dans les rues pour aller rencontrer les habitants du quartier qui ne peuvent pas se déplacer, par exemple les enfants, les familles nombreuses, les personnes âgées ou avec un handicap…

Dans notre bus, nous transportons ente 3 000 et 4 000 livres, des BD, des albums jeunesse, des magazines.

Si cela vous intéresse, envoyez-nous votre lettre de motivation et les projets que vous pourrez développer avec le bibliobus.

Vous êtes intéressé(e) et vous envoyez votre lettre de motivation. Vous vous présentez et vous donnez votre opinion sur cette action. Vous faites des propositions pour animer le bibliobus.
(environ 120 mots)

....

....

1 Le courrier

Exercice 1   **25 points**

- ▸ Bien comprendre le sujet : qui écrit à qui ? Pour faire quoi ? Pour exprimer quoi ?
- ▸ Donner la priorité aux deux critères les plus importants : présenter les faits, exprimer sa pensée.
- ▸ Bien gérer son temps, les 45 minutes passent vite !
- ▸ Construire un plan logique en deux ou trois parties.
- ▸ Bien compter les mots : minimum de 160 mots mais pas de limite maximale !
- ▸ Relire son texte pour l'orthographe et la grammaire.

Un ami vous écrit ce message.

« Ça y est, j'ai une idée de commerce ! Je vais ouvrir une librairie moderne. Tu sais aujourd'hui, tout le monde achète ses livres sur Internet mais il manque un lieu où se rencontrer. Je veux un magasin un peu spécialisé en BD, en mangas, en science-fiction, en littérature jeunesse où on peut s'arrêter, discuter avec d'autres passionnés de lecture. Ici, il y aura un café, des tables, des canapés et un coin pour enfants. J'ai trouvé le lieu mais j'ai besoin encore d'un peu d'argent. Tu peux m'aider ? »

Vous répondez à votre ami. (160 mots minimum)

....
....

- • Vous avez reçu le message d'un ami, donc vous répondez de manière informelle.
- • L'ami est très positif, content de son projet, vous pouvez alors l'encourager et le féliciter pour cette bonne idée. Vous êtes au début du message d'accord avec lui.
- • Vous pouvez donner votre avis sur les librairies : lieu pour acheter des livres mais aussi pour partager sa passion. Peut-être pouvez-vous aussi raconter votre expérience des librairies.
- • La dernière partie est plus diffi-cile parce que vous devez décider si, oui ou non, vous lui prêtez de l'argent et combien. Vous devez expliquer votre décision.

CE QUE JE RETIENS

- ▸ Quel ton est-ce que j'emploie : formel ou informel ?
- ▸ La consigne propose-t-elle plusieurs parties à respecter ?
- ▸ Comment je compte les mots ?
- ▸ Est-ce que j'utilise des connecteurs logiques entre les idées ?
- ▸ Mon vocabulaire est-il varié et précis ?
- ▸ Est-ce que je réponds bien à la situation pratique du sujet ?

Proposition de corrigé :

Salut,

Mais c'est une super idée ! Bravo ! Je suis d'accord avec toi : on dit que les gens sont isolés maintenant avec Internet, qu'ils achètent et se parlent seulement « en ligne » mais je rencontre souvent des gens qui me disent qu'ils sont insatisfaits de cette situation. Bien sûr, les gens ont encore envie de se parler et d'échanger !

Tu sais, quand je visite une nouvelle ville, je cherche toujours la librairie principale pour découvrir des nouveaux livres ou des BD. Ce que je remarque, c'est que chaque libraire a son style préféré de littérature et donc organise sa librairie autrement. Par exemple, j'ai vu qu'à la grande librairie de Lille, les BD occupaient tout le premier étage et, à Nancy, le rayon pour enfants avec les livres, les magazines et les jeux, est à côté d'un bar très confortable.

C'est pourquoi je suis favorable à ton idée. Je peux donc peut-être te prêter de l'argent mais je voudrais discuter de la somme et des conditions pour le remboursement.

Le plus simple est de se voir très vite pour en parler.

J'attends ton message, à bientôt.

B.

Nombre exact de mots : 191.

Le magazine TOUS EN SPORT de votre ville cherche des entreprises pour participer financièrement à un club de sport de votre choix. (160 mots minimum)

Vous répondez au magazine. Vous envoyez un courrier à la rédaction.

– Votre entreprise est d'accord pour aider un club, vous expliquez le choix du sport.

– Vous racontez votre expérience de ce sport.

– Vous donnez votre opinion sur l'intérêt social, économique, culturel de ce sport dans la ville.

....

....

PRÊT POUR L'EXAMEN

❶ Choisir une simple mise en page pour le courrier (date, nom et adresse du destinataire... non obligatoires) car elle n'est pas notée.

❷ Bien lire le sujet pour bien le comprendre : ici, « on recherche des entreprises pour donner de l'argent à un club sportif de son choix » !

❸ Penser à la présentation du texte sur votre page : paragraphes séparés par des espaces. Bien suivre les indications du sujet : introduction (accord/désaccord), 1ʳᵉ partie (le thème choisi), 2ᵉ partie (les raisons).
Varier le vocabulaire et les structures de phrase.

Vous êtes parent d'un enfant en école primaire. Vous recevez le message suivant de l'école.

> Chers parents,
> Aujourd'hui, les enfants apprennent vite et mieux avec les outils numériques. Pour l'année prochaine, nous avons le projet d'équiper tous les enfants avec un ordinateur et un téléphone portables.
> Nous avons besoin de connaître votre avis : les enfants devront-ils utiliser ce matériel seulement à l'école pendant les cours ou pourront-ils le prendre à la maison le week-end et les vacances ? Merci d'avance de vos réponses.
> Cordialement,
>
> Le personnel de l'école

Vous écrivez une lettre pour répondre à ce message. Vous donnez votre avis. (160 mots minimum)

....

....

PRÊT POUR L'EXAMEN

1. Écrire un message formel pour donner son avis.
2. Bien préciser qui vous êtes, ce que vous pensez de la situation.
3. Utiliser des verbes et des expressions pour parler du futur ou de situations possibles.
4. Écrire les mots français du vocabulaire électronique ou informatique (*courriel, portable, naviguer, fichier, télécharger...*).
5. Développer votre opinion et les explications en donnant des exemples.

2 L'essai

Vous faites partie du comité de santé de votre entreprise et vous voulez ouvrir une salle de sport à l'intérieur de l'entreprise pour tous les employés et leur famille.
Vous envoyez au directeur cette proposition. Vous présentez les sports que les personnes pourraient faire et les horaires d'ouverture de la salle. Vous donnez votre opinion sur les avantages de faire du sport sur le lieu du travail. (160 mots minimum)

Monsieur le Directeur,

Le sport, c'est la santé ! Et au travail, c'est la performance !…

....

....

....

▸ **Attention, 45 minutes passent très vite !**
  – 10 minutes pour réfléchir et faire le plan.
  Lisez bien le sujet : quel projet ? pour qui ? où ? pour quoi faire ?
  Préparez votre plan rapidement.
  – 30 minutes pour écrire.
  Pensez au vocabulaire du sport, de la santé.
  Reliez bien les idées et introduisez les paragraphes.
  – 5 minutes pour compter les mots et corriger des erreurs.
▸ Minimum 144 mots absolument (160 mots minimum – 10 %) !
▸ Lisez une dernière fois pour trouver les erreurs d'orthographe ou de grammaire.

Proposition de corrigé :

Monsieur le Directeur,

Le sport, c'est la santé ! Et au travail, c'est la performance ! Dans le comité de santé de notre entreprise, nous avons remarqué que beaucoup de salariés étaient absents à cause de la fatigue ou d'une vie monotone. Pourtant, vous avez déjà proposé de financer des abonnements à un club de sport mais personne n'en profite. Par conséquent, il est urgent d'avoir une action forte dans l'entreprise, pendant les heures de travail.

Nous proposons donc de vous rencontrer pour vous présenter notre nouveau projet : nous voudrions aménager une salle de sport dans l'entreprise, à côté de la cafétéria par exemple, dans le but d'encourager les employés à venir se détendre ou s'entraîner physiquement. C'est bon pour les muscles et pour le corps, donc c'est bon pour la tête !

D'ailleurs, cette salle pourrait rester ouverte tous les jours de 6 heures du matin à 20 heures pour que les familles viennent également. Dans cette atmosphère, nous sommes sûrs que les salariés seront plus heureux et satisfaits d'être au bureau.

Dans l'attente de votre réponse pour un rendez-vous prochain, nous vous souhaitons une excellente journée.

Le comité de santé

Nombre exact de mots : 193.

CE QUE JE RETIENS

▸ Est-ce que mon plan est logique ?

▸ Mon essai respecte-t-il la consigne ?

▸ Comment j'organise mon temps (préparation, rédaction, relecture) ?

▸ Mes idées sont-elles reliées par des connecteurs ?

▸ Les formes verbales sont-elles variées (passé, présent, conditionnel…) ?

▸ Est-ce que j'ai le temps de corriger mes dernières erreurs ?

Exercice 5

Dans le journal régional, vous lisez cette annonce :

25 points

LE PROJET DE LA FUTURE GARE

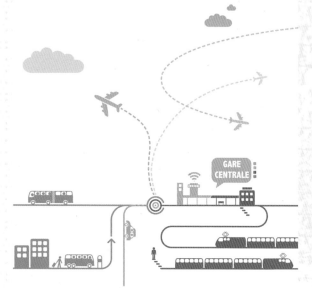

Le projet de la future gare « multimodale » (connexion plus grande entre train, bus, métro, piétons) est présenté à l'hôtel de ville pendant quatre semaines.

Pendant cette période, les habitants pourront s'informer à notre point Informations et donner leur opinion dans un cahier d'enquête publique.

Vous êtes très intéressé(e) par ce projet pour des raisons familiales et professionnelles.
Vous écrivez le texte que vous voulez laisser dans le cahier d'enquête publique.
Vous décrivez votre expérience de la gare actuelle, pour vous et pour votre famille,
et vous donnez votre avis sur ce nouveau projet et les avantages attendus. (160 mots minimum)

PRÊT POUR L'EXAMEN

1. Bien reprendre l'idée générale dans l'introduction.
2. Mobiliser le vocabulaire des transports, des voyages et des déplacements.
3. Parler de son expérience réelle ou fictive.
4. Donner son opinion personnelle.
5. Écrire le nombre exact de mots utilisés à la fin du texte.

FORUM POUR LA PROMOTION DES ÉCHANGES INTERNATIONAUX

Vivre une expérience interculturelle et linguistique exceptionnelle à l'étranger

Apprendre une autre langue ;
Vivre « comme dans le pays » ;
Découvrir des cultures différentes ;
Trouver de nouvelles amitiés.

Vous lisez cette page de forum et vous voulez contribuer à la promotion des échanges internationaux. Vous aussi, vous avez participé à un échange (scolaire, universitaire, sportif…). Vous envoyez votre témoignage où vous racontez votre expérience.
Vous donnez des conseils pour bien réussir l'échange international. (160 mots minimum)

....
....
....
....
....
....
....
....
....

PRÊT POUR L'EXAMEN

❶ Respecter les parties de la consigne (expérience, conseils).
❷ Compter bien les mots, au minimum 160 mots !
❸ Écrire un essai et non une lettre personnelle.
❹ Utiliser les expressions du conseil, de la suggestion (rassurer, encourager...).
❺ Organiser votre texte en trois ou quatre parties maximum.

3 L'article

Le ministère de l'Éducation nationale fait une enquête :
« Faut-il apprendre plusieurs langues étrangères très jeune ? ».
Il publiera les articles intéressants dans la presse spécialisée.
Vous envoyez votre texte.
Vous racontez comment vous avez appris une ou des langues étrangères. Vous donnez votre avis sur l'âge idéal pour apprendre les langues.
(160 mots minimum)

....

....

Proposition de corrigé :

L'enquête du ministère de l'Éducation nationale m'intéresse beaucoup pour différentes raisons. D'abord, la question d'apprendre plusieurs langues étrangères me concerne parce que j'ai étudié différentes langues depuis ma naissance. Ensuite, la question de l'âge est importante parce que, dans mon pays, on apprend l'anglais à partir de 5 ans et une deuxième langue à 11 ans.

Pour commencer, je dirais que c'est un avantage de parler plusieurs langues. On peut parler avec les gens quand on voyage, on peut trouver plus facilement du travail. Bien sûr, parler différentes langues, ce n'est pas toujours parler parfaitement mais ce n'est pas grave. Le plus important est de communiquer avec les autres.

Ensuite, on peut dire que les enfants apprennent très vite d'autres langues. Quand j'étais à l'école primaire, on apprenait très vite l'anglais parce qu'on faisait des concours, des jeux et on voulait gagner des cadeaux ! Donc l'âge idéal, c'est 5 ou 6 ans car on commence à écrire et à comprendre des histoires complexes.

Enfin, en raison de la mondialisation, parler plusieurs langues permet de garder la culture et les traditions de chacun et de découvrir les autres dans leur différence !

Nombre exact de mots : 194 mots

CE QUE JE RETIENS

▸ Est-ce que je peux raconter un souvenir ou une expérience passée ?

▸ Comment j'exprime mes émotions ?

▸ L'expression de mon accord ou désaccord est-elle claire ?

▸ Est-ce que je sais relier les idées et les phrases ?

▸ Le choix de vocabulaire est-il adapté au sujet ?

Le journal *Mobilité internationale* veut aider les personnes qui parlent le français à venir travailler dans un pays francophone. Le projet est de publier chaque semaine sur son site le témoignage d'une personne qui a fait cette expérience.

Vous envoyez votre article parce que vous avez travaillé (un été, quelques semaines ou quelques mois) dans un pays francophone. Choisissez le pays et la durée, racontez votre expérience professionnelle dans un secteur précis et donnez des conseils pour motiver les lecteurs. (160 mots minimum)

....
....
....
....
....
....

PRÊT POUR L'EXAMEN

1 Raconter son expérience en utilisant les temps du passé et des expressions de temps et de durée.
2 Raconter une expérience professionnelle en utilisant le vocabulaire spécifique.
3 Donner des conseils : utiliser le conditionnel et les expressions pour encourager.
4 Garder 5 ou 7 minutes à la fin pour relire et améliorer votre texte.

APPEL À PARTICIPATION À NOTRE JOURNAL DE QUARTIER

Donnons la parole à tous les habitants !
Notre problème le plus important, c'est le manque d'informations sur le quartier !
Nous avons besoin de savoir comment on peut participer à la vie de notre quartier !
Il faut que l'information arrive aux habitants.
Il faut aussi donner la parole aux habitants.

Vous habitez dans ce quartier depuis quelques mois et vous vous associez à cette initiative. Vous écrivez un texte pour demander plus d'informations, plus de débats et que les habitants participent activement : vous les invitez à envoyer leurs idées, leurs initiatives, leurs critiques, leurs envies… (160 mots minimum)

....
....
....
....
....
....

PRÊT POUR L'EXAMEN

1 Écrire quelques phrases, complètes ou non, sur un papier brouillon.
2 Suivre le plan indiqué dans le sujet.
3 Chercher des idées personnelles et des exemples que vous connaissez.
4 Développer chaque idée à l'écrit dans des paragraphes.
5 Écrire l'idée principale (et la réponse au sujet) dans la conclusion.

PRÊT POUR L'EXAMEN !

Communication

- Décrire et exposer des faits
- Exprimer des notions d'hypothèse
- Faire part de ses opinions
- Interagir à propos de sentiments
- Organiser une présentation factuelle
- Raconter une situation passée ou à venir

Socioculturel

- Les formules de politesse ou le style informel : *Monsieur le directeur, Salut les amis*
- La ponctuation : *Trop bien ! Pendant une semaine, j'ai travaillé là. Êtes-vous d'accord ?*
- La mise en page : *À la fin d'un paragraphe, sauter une ligne*
- Les majuscules des acronymes et des sigles : *UNESCO, TGV, DRH*

Grammaire

Les adjectifs et adverbes : *bien/bon, vite/rapide, trop, peu, quelques*

Les connecteurs logiques

Les temps du passé : passé composé, imparfait, plus-que-parfait, passé récent

L'hypothèse :
le conditionnel, *peut-être, vraisemblablement, si*

Les phrases complexes : *que, parce que, bien que, dans la mesure où*

STRATÉGIES

1. J'utilise l'ensemble des 45 minutes pour réfléchir, puis écrire et enfin corriger.
2. Avant d'écrire mon texte, je note le vocabulaire qui se rapporte au thème et à la situation demandée.
3. J'écris d'abord sur un brouillon pour construire un plan logique et cohérent.
4. Je note mes idées et j'ajoute des mots et expressions de sentiment ou d'opinion.
5. Je compte, à la fin, le nombre de mots utilisés selon la règle du DELF (un mot est toujours entre deux espaces) et j'écris plus de 160 mots.

Vocabulaire

- Activités quotidiennes
- Actualités
- Études et formation
- Monde du travail
- Opinions
- Relations commerciales
- Sentiments

Écrire un texte structuré

D'abord, il faut mettre des chaussures de sécurité, ensuite on met des lunettes de protection et enfin, on doit prendre son matériel.

Tout d'abord, je vous présenterai les causes.

En conclusion, on peut dire que les progrès profitent à tous les habitants du quartier.

Exposer des faits

Dans une semaine, les enfants seront en vacances.

L'appartement est à 10 km de son travail.

Le nouveau directeur voudra faire une réunion tous les vendredis.

L'entreprise est construite dans une zone dangereuse.

On commençait la journée à 4 heures du matin et l'après-midi, on dormait.

Exprimer un sentiment

J'étais vraiment triste d'apprendre cette nouvelle.

Elle a été trop contente de me voir en visioconférence !

Les collègues seront vraiment enthousiastes de cette idée.

J'en ai assez : on nous propose de travailler 6 jours par semaine !

Mais c'est dommage d'arrêter tes études.

Exprimer une opinion

Je ne peux pas accepter cette solution.

Cela me semble tout à fait possible.

On pourrait le penser mais…

Introduire une histoire

Il faut vraiment que je vous raconte ça !

Pour préciser ma pensée, il est important que je vous explique la raison de cela.

Dans un premier temps, la situation était vraiment compliquée.

En effet, ça fait dix ans que nous attendons ces travaux.

Faire part de ses réactions

Elle ne pourra jamais comprendre ta décision.

Figure-toi que j'ai raté le bus à une minute près !

Nous vous remercions sincèrement de votre invitation.

Je vous prie de bien vouloir répondre à ma demande.

Vous semblez mécontent de votre voyage, pour quelle raison ?

Exprimer une éventualité

J'espère que cela ira enfin mieux !

Il paraît que l'équipe de France peut encore gagner la victoire.

Ce serait bien si on pouvait rester travailler à la maison.

Notre stagiaire a l'impression d'être inutile, mais je crois qu'il pourrait aussi prendre plus d'initiatives.

Je suis prêt ? Les 4 questions à se poser

1. Est-ce que je peux exprimer mon opinion et mes sentiments sur le sujet demandé ?

2. Est-ce que je suis capable de présenter un texte avec des paragraphes et une ponctuation correcte ?

3. Est-ce que je peux me relire, trouver des erreurs et les corriger ?

4. Est-ce que je suis capable d'écrire des phrases complexes avec différents connecteurs logiques ?

✔ À faire

AVANT L'EXAMEN

☐ **réviser le** vocabulaire **thématique**
écrire des listes de mots ou expressions sur les thèmes
de la vie scolaire, universitaire ou professionnelle,
connaître les synonymes et les contraires

☐ **réviser la** grammaire
les temps des verbes
les verbes de modalisation
les relations logiques
l'accord des adjectifs, des noms

☐ **s'entraîner à écrire des petits textes sur des sujets
d'actualité et développer une opinion**

LE JOUR DE L'EXAMEN

☐ lire attentivement la consigne pour comprendre
quel rédacteur vous êtes et à qui vous devez écrire

☐ présenter un texte organisé et facile à lire

☐ éviter les longues descriptions impersonnelles

☐ soigner son orthographe et sa grammaire

☐ évaluer la longueur de son texte pendant sa rédaction

Production
orale

COMPRENDRE

L'ÉPREUVE

La production orale est la quatrième et dernière épreuve de l'examen du DELF B1. Elle est individuelle.

Durée totale de l'épreuve	**10 minutes de préparation** **15 minutes de passation**
Nombre de points	**25 points**
Nombre d'exercices	**3 parties**
Nombre de productions	**3 productions**
Quand commencer à parler ?	**Dès le début de l'épreuve, après les 10 minutes de préparation**
Combien de temps faut-il parler ?	**Il faut parler environ 2 à 3 minutes pour la partie 1, 3 à 4 minutes pour la partie 2, et 5 à 7 minutes pour la partie 3 (dont 3 minutes sous forme de monologue)**
Quand commencer la préparation ?	**Après avoir lu le document candidat, uniquement pour la partie 3**

Objectifs des exercices

Exercice 1 **Entretien dirigé**
Exercice 2 **Exercice en interaction**
Exercice 3 **Monologue suivi**

LES SAVOIR-FAIRE

Il faut principalement être capable de :

Respecter des règles de politesse

Faire face sans préparation à des situations de la vie quotidienne (même inhabituelles)

Parler de soi, de ses activités, de ses centres d'intérêt avec une certaine assurance

Expliquer pourquoi il y a une difficulté et proposer des solutions, comparer des alternatives

Parler de son passé, de son présent et de ses projets

Exprimer son opinion sur un sujet d'intérêt général

Répondre sans préparation à des questions sur des sujets familiers

Organiser sa présentation de manière assez claire

LES EXERCICES ET LES DOCUMENTS

	Supports possibles	Type d'exercice	Nombre de points
Exercice 1 **L'entretien dirigé**	Questions de l'examinateur	Entretien (1 min 30)	3 points
Exercice 2 **L'exercice en interaction**	Deux sujets à tirer au sort	Dialogue entre vous et l'examinateur (3 à 4 minutes)	5 points
Exercice 3 **Le monologue suivi**	Deux sujets à tirer au sort (courts articles extraits de la presse francophone)	Exposé personnel puis échange entre vous et l'examinateur (5 à 7 minutes)	5 points

Le niveau linguistique est noté sur **12 points** :
- ▸ Lexique : **4 points**
- ▸ Grammaire : **5 points**
- ▸ Phonétique et prononciation : **3 points**

LA CONSIGNE

Pour l'épreuve individuelle du DELF B1, vous recevrez un document candidat qui présente le déroulement de l'épreuve et les consignes pour chaque partie.
Avant l'épreuve, vous tirerez au sort deux sujets pour la partie n° 3. Vous choisirez le sujet que vous préférez. Vous aurez ensuite 10 minutes pour vous préparer.
Le sujet de la partie n°2 vous sera proposé dès que vous aurez fini la partie n°1. Vous tirerez au sort deux sujets et vous choisirez le sujet que vous préférez.

LES QUESTIONS ET LES RÉPONSES

L'épreuve se déroule en trois parties.

- ▸ Partie 1 : **Entretien dirigé :** Cette activité a pour objectif de mieux vous connaître et de vous mettre à l'aise. Vous n'avez pas de temps de préparation. L'examinateur vous demande de vous présenter. Vous parlez de vous, de votre famille, de vos loisirs, de votre travail, etc. Vous répondez ensuite à quelques questions.

- ▸ Partie 2 : **Exercice en interaction :** Vous n'avez pas de temps de préparation. Vous choisissez un sujet parmi les deux que vous avez tirés au sort. Vous jouez un rôle dans un dialogue de 3 à 4 minutes.

- ▸ Partie 3 : **Monologue suivi :** Vous présentez votre point de vue sur un sujet d'intérêt général (à partir d'un court article de presse). Vous devez introduire le sujet et faire une présentation claire pendant environ 3 minutes. L'examinateur peut vous poser quelques questions.

CONSEILS

- – Respecter les règles de politesse (saluer l'examinateur au début et à la fin de l'épreuve, être souriant).
- – Ne pas écrire de longues phrases pendant la préparation. Noter les idées principales, faire des schémas.
- – Choisir les sujets sur lesquels on a le plus de choses à dire.
- – Essayer de faire des réponses complètes, donner des détails.

1 Préparer l'entretien dirigé

— Se présenter

Activité 1

Associez chaque question à sa réponse.

1. Est-ce que vous pouvez vous présenter ? •

2. Quelle est votre date de naissance ?
   Où êtes-vous né ? •

3. Où habitez-vous ? •

4. Quelle est votre situation familiale ? •

5. Quels sont vos loisirs, vos passe-temps favoris ? •

• **a.** Je suis en couple depuis 3 ans avec une Française. Nous avons un enfant qui a maintenant 2 ans.

• **b.** J'habite à Fiumicino, au sud-ouest de Rome. On a un petit appartement avec vue sur la mer.

• **c.** Oui, bien sûr ! Je m'appelle Giovanni Rosso.

• **d.** Je fais de l'escalade depuis 3 ans maintenant. J'en pratique en club deux fois par semaine. Je joue de la guitare et j'aime chanter. Et j'aime beaucoup lire : magazines, romans…

• **e.** Je suis né le 5 janvier 1988 à Valladolid, en Espagne.

Activité 2

À partir des informations suivantes, racontez les grandes étapes de la vie de Victor Hugo.

Lieu et date de naissance : Besançon, 26 février 1802.

Nom et prénom : Victor Hugo.

Passions : écriture, poésie, théâtre.

Prix : 1819, prix de poésie de l'Académie des jeux floraux de Toulouse.

Métier : poète, dramaturge, romancier, critique, homme politique.

Livres : premier grand roman historique : *Notre-Dame de Paris* (1831) ; *Les Misérables* (1862).

Poésie :
– *Les Orientales* (1829) ;
– *Les Rayons et les Ombres* (1840) ;
– *Les Contemplations* (1856).

Exil : Île de Jersey, île de Guernesey.

▬ Parler des loisirs

Activité 3

Associez des loisirs à chaque personne.

1 - Moi, je suis une rurale, j'adore la nature : la campagne, les grands espaces, me dépenser, c'est un besoin vital ! J'aime parcourir de grandes distances, découvrir de nouveaux paysages et c'est pour cela que je me suis mise à l'équitation et au golf.

2 - Je trouve que c'est tellement important d'avoir une activité physique régulière. Personnellement, j'aimerais participer à mon premier semi-marathon à l'automne prochain. Une vingtaine de kilomètres, j'espère que j'y arriverai !
Pour l'instant, je m'entraîne régulièrement en équipe.

3 - Rien de tel que le travail de la terre, c'est excellent ! D'abord pour soi, une vraie détente, et quel plaisir ensuite de récolter le fruit de son travail.
C'est sûr que ça m'occupe bien, mais c'est tellement valorisant au bout du compte !

4 - En ville, c'est vraiment facile de sortir, il y a tellement d'activités culturelles proposées toute l'année ! J'adore y participer, on ne s'ennuie jamais !
Manger avec ses amis dans un endroit puis prolonger le moment en découvrant un nouveau spectacle par exemple, franchement, je trouve ça passionnant !

A. n° : ....

B. n° : ....

C. n° : ....

D. n° : ....

E. n° : ....

F. n° : ....

G. n° : ....

H. n° : ....

Activité 4

À partir des photos, créez votre propre fiche mémo et exprimez vos goûts de manière positive ou négative en classant les expressions suivantes :

Ce qui m'intéresse, c'est … - j'ai horreur de - j'adore - j'aime (beaucoup) - je n'aime pas - je déteste - j'aime bien - ce qui me passionne, c'est… - ce que je trouve abominable, extraordinaire, horrible, c'est…

A   B   C   D

E   F   G

H   I   J   K

— Parler du caractère

Activité 5

D'après vous, quelles sont les qualités d'un bon manager/directeur/responsable de service ?
Et ses défauts ?

Qualités	....
Défauts	....

Parler d'un livre ou d'un film

Activité 6

Retrouvez les différentes parties de la présentation d'Adeline du livre de Frédérique Bedos.

J'ai découvert le livre *La petite fille à la balançoire*, de Frédérique Bedos, à la télévision, ils en parlaient aux informations. C'est l'histoire vraie d'une petite fille, Frédérique Bedos elle-même, dont la maman tombe lentement dans la maladie mentale. Et cette petite fille va être accueillie par Michel et Marité, un couple incroyable, qui adopte plein d'enfants. Et pour tous ces enfants, c'est un nouvel espoir. C'est un livre qui parle d'amour avec un grand A. En le lisant, j'avais sans arrêt envie de pleurer et de rire en même temps, car ce qu'elle raconte est vraiment extraordinaire. À la fin du livre, on a le sentiment d'avoir rencontré de belles personnes, comme des héros anonymes, et c'est ce qui m'a beaucoup plu.

Adeline

Présentation générale du livre : ....
....

Résumé de l'histoire (ce que raconte le livre et présentation des personnages principaux) : ....
....

Thème principal de l'histoire : ....
....

Opinion sur le livre : ....
....

Adjectifs pour qualifier le livre : ....

Mots pour exprimer l'émotion : ....

Activité 7

Retrouvez les différentes parties de la présentation de Rémi du film *Bis*.

Bis est une comédie française qui est sortie en 2015. Ce film raconte l'histoire de deux amis d'une quarantaine d'années qui ne sont pas très heureux dans leur vie. Un jour, après une soirée, ils se réveillent... en 1986 ! Et ils ont à nouveau 17 ans. Kad Merad et Franck Dubosc sont vraiment deux acteurs que j'aime beaucoup et le duo fonctionne très bien dans ce film. Il y a plein de scènes très rigolotes et des répliques tellement drôles aussi ! Et ce film est vraiment une belle reconstitution des années 1980, ce qui m'a beaucoup touché puisque, moi aussi, je suis né dans les années 1980. Que de souvenirs ! On passe un bon moment, c'est une comédie que je trouve très réussie.

Rémi

Présentation générale du film : ....
....

Résumé de l'histoire (ce que raconte le film et présentation des personnages principaux) : ....
....

Thème principal du film : ....
....

Opinion sur le film : ....
....

Adjectifs pour qualifier le film : ....

Mots pour exprimer l'émotion et l'opinion : ....

— Parler de ses projets passés, présents et futurs

Activité 8
Associez chaque question à sa réponse.

a. Je viens de finir mon master 1 en relations internationales à l'université de Rome et je recherche actuellement un stage sur Paris.

1. Qu'avez-vous fait pendant vos dernières vacances ?

b. Je suis allé à Venise. J'ai toujours rêvé de découvrir cette ville. J'ai beaucoup aimé et ma compagne aussi.

2. Quels projets aimeriez-vous réaliser dans les deux-trois années à venir ?

c. J'aimerais trouver du travail, en France, si possible. Nous aimerions habiter en banlieue parisienne. Et si ça ne fonctionne pas, je voudrais habiter à Bruxelles où je pense pouvoir trouver du travail plus facilement. Mais j'ai besoin de perfectionner encore plus mon français d'ici là.

3. Que faites-vous dans la vie ?

Activité 9
Guillaume parle de son passé. Complétez sa présentation à l'aide des mots suivants :
l'année dernière - il y a 18 mois - hier - quand j'étais plus jeune - depuis toujours - à 17 ans.

...................................., j'ai envie d'être pilote d'avion. ...., il y avait un aéroport à côté de la maison et je rêvais d'en piloter un. ...., j'ai fait mon premier stage dans une grande compagnie. ...., j'ai rejoint une école à Toulouse. ...., j'ai piloté mon premier avion en tant que pilote diplômé. Et ...., j'ai fêté cette première fois : déjà une année, le temps passe si vite !

Activité 10

Que fait Mouna aujourd'hui ? Utilisez des expressions de temps pour préciser vos réponses :
aujourd'hui - ce matin - cet après-midi - ce soir.

Activité 11

Quels sont les projets de ce couple ?
Imaginez des informations sur Sébastien et Anke,
donnez des explications et des détails :

*avoir/construire une maison - avoir une voiture -
avoir/fonder une famille - partir en vacances -
passer/avoir son permis de conduire - finir ses études
- trouver un travail - voyager…*

....

....

Activité 12

Dao parle de ses projets futurs. Complétez ses propos à l'aide des expressions de temps suivantes :
quand je serai à la retraite - à la rentrée prochaine - cet été - plus tard - dans deux ans - demain - jamais.

........................., c'est déjà la fin de l'année scolaire. ...., je souhaiterais partir en vacances avec des amis. ...., je vais commencer ma troisième année à l'université. Si tout va bien, ..., je serai diplômé. ...., je voudrais voyager grâce à mon métier. Je ne voudrais .... rester trop longtemps dans le même endroit. Mais ...., j'aimerais vivre définitivement dans le sud de la France !

2 Préparer l'exercice en interaction

— Comprendre la consigne

Activité 13
Lisez chaque sujet et complétez le tableau.

Sujet 1 :
Vous avez réservé un séjour à Lyon qui comprend un dîner dans un restaurant gastronomique. Une fois sur place, vous apprenez que le dîner est remplacé par la visite d'un musée. Vous n'êtes pas d'accord. Vous discutez avec l'employé de l'agence pour trouver une solution.
L'examinateur joue le rôle de l'employé.

Sujet 2 :
Vous regardez le programme de télévision avec un(e) ami(e). Et vous n'êtes pas d'accord sur le choix du programme pour la soirée. Il/Elle insiste. Vous essayez de convaincre votre ami(e) de choisir le même programme que vous.
L'examinateur joue le rôle de votre ami(e).

Sujet 3 :
Vous apprenez le français dans une école à Bordeaux. Comme vous n'avez pas beaucoup de temps, vous ne rendez jamais à votre professeur les activités à faire à la maison. Votre professeur s'inquiète et souhaite vous parler. Vous lui expliquez la situation et vous essayez de trouver une solution.
L'examinateur joue le rôle du professeur.

	Sujet 1	Sujet 2	Sujet 3
a. Qui parle ? De quelle nature est la relation entre les interlocuteurs : amicale, éducative ou commerciale ?	....	....	....
b. Est-ce que je vais utiliser « tu » ou « vous » ?	....	....	....
c. Quel registre de langue vais-je utiliser ?	☐ Familier ☐ Standard ☐ Formel	☐ Familier ☐ Standard ☐ Formel	☐ Familier ☐ Standard ☐ Formel
d. Quelle(s) action(s) précise(s) dois-je faire ? Remarque : Certaines actions ne sont pas représentées dans les trois sujets.	☐ S'excuser ☐ Expliquer ☐ Convaincre ☐ Protester ☐ Exprimer un désaccord ☐ Proposer	☐ S'excuser ☐ Expliquer ☐ Convaincre ☐ Protester ☐ Exprimer un désaccord ☐ Proposer	☐ S'excuser ☐ Expliquer ☐ Convaincre ☐ Protester ☐ Exprimer un désaccord ☐ Proposer

Demander, vérifier et confirmer des informations, s'excuser

Activité 14

Lisez les 3 énoncés ci-dessous. Pour chaque situation, identifiez les expressions pour :

	Situation 1	Situation 2	Situation 3
a. S'assurer de la bonne compréhension de l'interlocuteur			
b. Présenter ses excuses			

1 - Vous n'avez pas la carte d'abonnement correspondant à la réduction de votre billet.
Je suis désolé, mais vous allez devoir payer une amende. Vous comprenez ?

2 - Je vous prie de nous pardonner, je comprends bien votre frustration, mais je ne peux pas céder car si je le fais pour vous, je dois appliquer la même règle pour tous. Est-ce que vous me suivez ?

3 - Veuillez m'excuser Monsieur, je crois que vous n'avez pas bien entendu ma collègue, mais si vous souhaitez être remboursé, vous devez, en effet, me prouver que le problème ne vient pas de chez vous, est-ce que c'est clair ?

Activité 15

Complétez le dialogue avec les expressions suivantes : *C'est bien ça ? - Pourriez-vous me renseigner sur... - Oui, tout à fait ! - Tout est clair - Bien sûr ! - Pouvez-vous me dire...*

– Bonjour, Monsieur ! Puis-je vous aider ?

– Oui, nous sommes intéressés par la visite du château. Et je suis un peu perdu.

.... les tarifs, s'il vous plaît.

– .... ! 15 euros par adulte. De 4 à 15 ans, c'est 10 euros. L'entrée est gratuite pour les enfants de moins de 4 ans.

– Très bien ! Nous sommes 2 adultes et 3 enfants, dont un de moins de 4 ans, ce qui ferait

50 euros, ...

– ....

– J'ai une autre question à vous poser : .... si nous pouvons pique-niquer sur place ? J'ai vu sur votre site qu'il y avait une zone prévue à cet effet mais je n'ai pas compris si elle était à l'intérieur du château ou s'il fallait ressortir.

– Vous pouvez tout à fait manger sur place, en effet ! L'espace prévu à cet effet se trouve bien à l'intérieur du château.

– Merci beaucoup ! ...., maintenant !

– Vous voulez d'autres informations ?

– Non, merci ! C'est parfait !

– Au revoir !

– Au revoir, Monsieur !

— **Expliquer, justifier, convaincre**

Activité 16

Sujet : Vous aviez prévu de vous rendre à l'anniversaire de votre collègue. Malheureusement, vous avez eu un problème chez vous. Vous lui téléphonez pour lui expliquer la raison.

Lisez le sujet et complétez le dialogue ci-dessous en expliquant la situation.

> – Allô Michel ?
> – Allô !
> – C'est Catherine, au téléphone. Je t'appelle concernant ta soirée d'anniversaire. Je suis vraiment désolée, je ne vais pas pouvoir venir. Je vais t'expliquer pourquoi : en fait, ...
> . . . .
> . . . .
> – Je suis déçu mais je comprends bien. Ce sera pour une prochaine fois !
> – Oui, tout à fait !
> – On se voit demain au travail !
> – À demain !

Activité 17

Sujet : Vous arrivez pour la troisième fois de la semaine en retard à votre cours de langue.
Le professeur vous demande, cette fois, d'aller trouver le directeur. Vous vous justifiez.

Lisez le sujet et remettez les phrases du dialogue dans l'ordre.

a. Excusez-moi, mais je vous promets, ce n'est vraiment pas de ma faute ! J'essaie vraiment d'arriver à l'heure pour le cours. Je prépare mes affaires la veille, je mets bien mon réveil et je pars dans les temps.
b. Bonjour Ela ! Asseyez-vous. Le professeur m'a expliqué que vous étiez arrivée en retard pour la troisième fois cette semaine. Ça fait beaucoup !
c. Je vais vous expliquer. En fait, ce n'est pas de ma faute. Il y a des problèmes avec les transports en commun. C'est pour ça que je suis en retard.
d. Bonjour Monsieur !
e. Bien ! Je compte sur vous pour faire attention à l'avenir… Essayez de prendre un autre itinéraire.
f. Trois fois dans la même semaine… C'est étrange car je n'ai entendu parler ni de grève ni de perturbation.

1	2	3	4	5	6

Activité 18

Vous regardez le programme télévision avec un(e) ami(e). Et vous n'êtes pas d'accord sur le choix du programme pour la fin d'après-midi. Vous essayez de convaincre votre ami(e) de choisir le même programme que vous.

France 2
17.20 Dans la peau d'un chef Masterclass avec un grand chef.

M6
17.25 Les reines du shopping 4 femmes sont en compétition shopping.

Aidez-vous des phrases suivantes ou inventez votre propre dialogue.

> Je préfère regarder France 2 car l'émission est plus intelligente, je trouve.

> J'ai toujours l'impression que les candidats font semblant.

> Ce programme dure trop longtemps.

> C'est vrai que j'aime la mode, mais je n'aime pas cette émission !

> Je ne supporte pas la présentatrice de l'émission.

▬ Encourager, donner des conseils

Activité 19

Arnaud, votre ami, a gagné au loto. Il ne sait pas quoi faire des 10 000 euros de gain. Il vient vous voir. Vous lui donnez des conseils.

Activité 20

Quelles sont les expressions qui marquent l'encouragement ?
Quelles sont celles qui permettent de féliciter quelqu'un ?

a. ☐ Bon, c'est raté, n'est-ce pas ?

b. ☐ Bravo ! Tu as réussi !

c. ☐ Oh là là ! Mais ça ne va pas du tout !

d. ☐ Quel travail ! Félicitations !

e. ☐ Allez, courage ! Tu vas y arriver !

f. ☐ Ben, dis donc ! On peut dire que c'est mauvais !

▬ Exprimer un désaccord, un mécontentement, menacer, protester

Activité 21

Reliez les phrases à ce qu'elles expriment.

1. Je ne suis pas d'accord avec toi. •

2. Reculez ou j'appelle la police. •   • **a.** exprimer un désaccord

3. Vous vous trompez ! •

4. Je ne suis pas du tout satisfait de ce produit. •   • **b.** exprimer un mécontentement.

5. Je suis vraiment fâché ! •

6. Je vous préviens, je ne me laisserai pas faire ! •   • **c.** menacer

7. Je ne suis pas du même avis. •

Activité 22

Sujet : Vous avez acheté un vêtement. Mais quand vous rentrez chez vous, vous vous apercevez qu'en enlevant l'antivol, le vendeur a fait un trou dans le vêtement. Vous revenez au magasin où vous tentez d'obtenir le remboursement de l'achat.

Cochez les phrases que vous pourriez utiliser pour protester :

a. ☐ Je tiens à être remboursé, ce n'est pas possible, je viens d'acheter ce vêtement !

b. ☐ J'ai un problème : j'ai un trou dans le vêtement que je viens juste d'acheter.

c. ☐ C'est ma faute, j'ai complètement oublié mon porte-monnaie.

d. ☐ Ce trou vient de l'antivol, c'est certain !

e. ☐ Je n'ai pas envie de payer !

f. ☐ C'est inadmissible! J'exige d'échanger ce vêtement.

Activité 23

N'oubliez pas l'importance de l'intonation pour faire passer un message.
Reliez les phrases en prenant en compte l'intonation pour trouver le sens qu'elle communique.

1. Il va y arriver ↗ •   • **a.** Tu crois qu'il va y arriver ?

2. Il va y arriver ↘ •   • **b.** Mais si, j'en suis sûr et certain, il va y arriver !

3. Il va y arriver ↗ •   • **c.** Il y arrivera, pas de problème.

3 Préparer le monologue suivi

— Comprendre le sujet

Activité 24
Prenez connaissance du document et répondez aux questions.

La colocation* n'est plus réservée aux étudiants

La colocation évolue. Aujourd'hui, si 43 % des colocataires sont étudiants, on a le même pourcentage pour les colocataires qui sont, eux, dans la vie active. En ce qui concerne les personnes à la retraite, elles ne représentent que 1 % des colocataires français au premier trimestre 2016. Le résultat de tout cela est que le pourcentage des colocataires de plus de 40 ans évolue. Et puisqu'on a maintenant plusieurs catégories de locataires, la demande est alors en augmentation. En France, on trouve 1 place pour 4 personnes recherchant une colocation. Pour finir, notons que si on compare la location individuelle à la colocation, on fait une économie d'environ 30 % avec un loyer mensuel d'environ 460 euros.

D'après *http://www.20minutes.fr*, 19 mai 2016.

* Colocation: le fait de partager en commun un logement (avec des inconnus, des amis, etc.)

Cochez la bonne réponse.

1. Quelle est la nature de ce document ?
☐ Une publicité.
☐ Un article de presse.
☐ Un exposé scientifique.

2. De quoi parle ce document ?
☐ De la colocation.
☐ De l'achat d'un bien.
☐ De la location d'un bien.

3. Quelle est l'idée principale présentée dans ce texte ?
☐ Les personnes à la retraite font également de la colocation.
☐ Pour une colocation, il faut compter en moyenne 460 euros de loyer mensuel.
☐ Les colocataires sont autant des étudiants que des personnes dans la vie active.

4. Classez les expressions surlignées dans la bonne catégorie.

Pour parler de...	Pour exprimer la cause	Pour exprimer la conséquence	Pour conclure
....	....	....	....
....	....	....	....

5. Classez les expressions suivantes dans le tableau. Et enrichissez-le !

comme - à cause de - par conséquent - donc - grâce à - car - c'est pourquoi - en conclusion - concernant...

Pour parler de...	Pour exprimer la cause	Pour exprimer la conséquence	Pour conclure
....	....	....	....
....	....	....	....

— Trouver les mots justes

Activité 25

Dans les phrases ci-dessous, une expression est surlignée. Réécrivez les phrases en utilisant une autre expression mais en gardant le même sens.

1 - En ce qui concerne les personnes à la retraite, elles ne représentent que 1 % des colocataires français au premier trimestre 2016.

....

....

2 - C'est pourquoi le pourcentage des colocataires de plus de 40 ans évolue.

....

....

3 - Et puisqu'on a maintenant plusieurs catégories de locataires, la demande augmente.

....

....

4 - Pour finir, notons que si on compare la location individuelle à la colocation, on fait une économie d'environ 30 % avec un loyer mensuel d'environ 460 euros.

....

Activité 26

Prenez connaissance du document suivant et répondez aux questions.

Paris bientôt interdit aux véhicules anciens

À partir du 1er juillet 2016, les véhicules datant d'avant 1997 ne sont plus autorisés à Paris. En cause : la chasse aux véhicules les plus polluants. Par crainte de pénalités contraignantes venant de l'Europe, les villes sont contraintes de réduire la pollution de l'air. Et Paris ne fait que suivre le modèle d'autres villes européennes. 870 000 automobilistes devraient ainsi être pénalisés : ils n'auront pas le droit de se déplacer dans les rues de la capitale les jours de semaine de 8 h à 20 h. Mais ils pourront cependant circuler de 20 h à 8 h, les week-ends et les jours fériés.

D'après *http://www.lefigaro.fr*, 6 juin 2016.

1 - Quelle est l'idée principale présentée dans ce texte ?

☐ L'interdiction récente de circuler à Paris avec de vieux véhicules.

☐ L'autorisation récente de circuler à Paris avec de vieux véhicules.

☐ La législation européenne en matière de véhicules polluants, tous types confondus.

2 - Pour éviter les répétitions, reliez chacun des mots suivants à leur synonyme.

Un automobiliste ●	● Une sanction
Une pénalité ●	● Être forcé
Être contraint ●	● Circuler
Réduire ●	● Être défavorisé
Être pénalisé ●	● Un conducteur
Se déplacer ●	● Diminuer

Activité 27

Lisez le document, puis répondez aux questions.

Allô les internautes, ici Facebook…

Ce n'est un secret pour personne : Facebook est à la recherche de toujours plus de données concernant ses utilisateurs et cela, soulignons-le, concerne-rait même les internautes qui ne sont pas inscrits sur ce réseau social. Et comme la curiosité de ce dernier n'a de cesse de grandir, certains affirment même que Facebook espionnerait ses utilisateurs jusque dans leurs conversations téléphoniques, et ce, afin de cibler les publicités qui leur sont envoyées. Une nouvelle polémique que Facebook a vite contredite.

D'après *http://rue89.nouvelobs.com*, 7 juin 2016.

1 - Par quel mot pourriez-vous remplacer ?

« données » (nom féminin) : ....

« n'a de cesse de » : ....

« affirme » : ....

« contredite » : ....

2 - Par quelle paraphrase pourriez-vous remplacer « les internautes » ?

Les personnes qui ....

3 - Trouvez l'expression dans le texte qui exprime le but.

....

Activité 28

Soulignez les expressions qui expriment le but et notez comment elles sont construites :

1. Facebook espionnerait ses utilisateurs jusque dans leurs conversations téléphoniques, et ce, pour cibler les publicités qui leur sont envoyées.

....

....

2. Facebook espionnerait ses utilisateurs jusque dans leurs conversations téléphoniques, et ce, pour que les publicités qui leur sont envoyées soient bien ciblées.

....

....

3. Connaissez-vous d'autres expressions de but ? Complétez le tableau.

Pour exprimer le but	....

Activité 29

Continuez les phrases suivantes pour exprimer l'opposition.

1. J'aime beaucoup le réseau social Facebook, **mais** ....

....

2. Je vais sur Facebook tous les jours au moins 1 heure à chaque fois. Je complète mon profil, j'ajoute des informations sur ce que je fais. **En revanche,** ....

....

3. J'ai lu un article récent sur le fait que Facebook espionnerait ses utilisateurs. Je suis absolument scandalisé, **cependant** ....

....

....

4. Encore une nouvelle polémique avec le réseau social Facebook **alors que** ....

....

....

— Organiser ses idées et donner son point de vue

Activité 30

Lisez le document, puis répondez aux questions pour le présenter.

Le robot, le meilleur ennemi de l'emploi humain ?

Au printemps 2015, la presse a largement diffusé une prévision inquiétante : 4 emplois sur 10 seraient automatisés dans les 20 ans à venir, et cela concernerait même les emplois qualifiés ou le secteur des services. Ainsi, 3 millions d'emplois pourraient être supprimés à cause d'une nouvelle génération de robots et de machines. Des secteurs d'activité  qui n'étaient pas encore touchés seraient alors menacés par l'automatisation des tâches : voitures automatisées, articles journalistiques rédigés par des logiciels…

D'après *http://www.scienceshumaines.com*, 6 novembre 2015.

1 - Présentez le document.

Il s'agit de ....

....

Il parle de ....

....

L'idée principale présentée dans ce texte est la suivante :

....

....

2 - Cochez la réponse qui convient. La problématique de ce texte est :

☐ Les robots envahissent notre quotidien, ils sont partout autour de nous.

☐ Les robots vont finir par remplacer les gens et menacent ainsi leur métier.

☐ Une nouvelle génération de robots a été créée, toujours plus performante.

3 - Pour argumenter, vous pouvez organiser vos idées selon le schéma :
– pour / contre,
– causes / conséquences ;
ou selon des thématiques et illustrer vos argumentaires avec des exemples issus de votre vie personnelle ou de votre quotidien culturel.

CONSEILS

Je dois éviter d'utiliser toujours la même phrase type :
« je pense que... parce que... » et montrer que je connais d'autres expressions :
– À mon avis, ... car...
– Il me semble que...
– Moi, je crois que...
– Personnellement, je trouve que... . En effet, ...
– Pour moi, ...

SE PRÉPARER

Pour exprimer votre point de vue sur ce sujet, complétez le plan selon le schéma :
– pour / contre.

Pour 3 arguments + exemples	Contre 3 arguments + exemples
1 - .... 2 - .... 3 - .... Exemple :	1 - .... 2 - .... 3 - .... Exemple : ....

▬ Réagir à une opinion

Activité 31

Classez les expressions de la liste ci-dessous dans le tableau pour réagir aux opinions suivantes :
je ne suis pas (tout à fait) d'accord - je suis du même avis - je suis tout à fait d'accord - il est vrai que… cependant, je trouve que… - je partage votre opinion.

1 - À mon avis, le football est un sport qui n'a pas d'avenir car les gens sont choqués par les salaires des joueurs.

2 - Il me semble que les émissions culturelles sont de plus en plus rares à la télévision. C'est triste !

3 - Moi, je crois que les éoliennes sont des solutions énergétiques d'avenir !

4 - Personnellement, je trouve que le niveau de mathématiques des élèves est bien meilleur aujourd'hui qu'il y a 30 ans.

5 - Pour moi, 60 % des métiers dans 30 ans restent à inventer. En effet, le salariat est un concept totalement dépassé. L'avenir est aux travailleurs polyvalents et indépendants.

Partager le même avis	Être en désaccord et apporter une nuance
1 - Je suis tout à fait d'accord. Les footballeurs sont vraiment trop payés.	....

Activité 32

Réagissez aux affirmations suivantes. Trouvez pour chaque affirmation un argument et un exemple pour appuyer votre opinion. Nuancez vos propos si besoin.

1 -

Dans 20 ans, il n'y aura plus que des robots. Ce sera génial !

Argument : ....

....

....

Exemple : ....

....

....

2 -

Moi, je pense que les robots ne devraient pas exister ! Même pas un seul !

Argument : ....

....

....

Exemple : ....

....

....

3 -

Je ne suis pas certain que tous les secteurs d'activités soient touchés par l'automatisation des tâches.

Argument : ....

....

....

Exemple : ....

....

....

1 L'entretien dirigé

Exercice 1

3 points

Le jour de l'examen, voici la consigne donnée pour la première partie de l'épreuve :

Vous parlez de vous, de vos activités, de vos centres d'intérêt. Vous parlez de votre passé, de votre présent et de vos projets. L'épreuve se déroule sur le mode d'un entretien avec l'examinateur qui amorcera le dialogue par une question (exemples : *Bonjour... Pouvez-vous vous présenter, me parler de vous, de votre famille... ?*).

▸ Cette première partie se fait sans préparation et dure 2 à 3 minutes.

▸ Pour réussir cette épreuve, suivez ces quelques conseils :

– Respectez les règles de politesse. N'oubliez pas de saluer l'examinateur en entrant dans la salle. Vous pouvez utiliser des formules comme : « Bonjour Madame », « Bonjour Monsieur », « Comment allez-vous ? ».

– Cette première partie a pour objectif de faire connaissance et de vous mettre à l'aise. Essayez d'être détendu et souriant.

– Faites une présentation simple et organisée d'environ 1 minute 30.

  1. Commencez par donner des informations sur votre nom, prénom, âge, nationalité, situation familiale, lieu d'habitation.

  2. Vous parlerez ensuite de vos goûts, de vos loisirs, de ce que vous aimez ou n'aimez pas faire.

  3. Vous pourrez ensuite donner des informations sur ce que vous faites comme travail ou études.

  4. Enfin, terminez en parlant de vos projets (votre futur métier, vos études, vos prochains voyages).

– L'examinateur vous posera quelques questions (1 minute environ). Il s'agit de développer certains points de votre présentation ou de vous questionner sur d'autres informations vous concernant (vos dernières vacances, votre apprentissage du français, etc.).

– Utilisez le vocabulaire que vous connaissez bien. Ne faites pas de phrases trop compliquées.

– Parlez clairement et articulez bien. Regardez l'examinateur pendant votre présentation.

Exemple d'entretien :

Examinateur : Bonjour, pouvez-vous vous présenter, me parler de vous, de votre famille ?

Candidat : Bonjour, je m'appelle Cyryl Nowak. J'habite en Pologne avec ma famille. J'ai un grand frère qui a 28 ans et une petite sœur qui a 18 ans. Mes parents sont propriétaires d'un hôtel-restaurant à Zakopane. Mon père travaille comme chef de cuisine et ma mère s'occupe de la gestion de l'hôtel.

Informations sur soi et sa famille

J'aime passer du temps avec mon frère et ma sœur. Nous adorons tous les trois le sport et nous en faisons beaucoup ensemble : de l'escalade, du vélo, des randonnées en montagne et du ski en hiver. J'aime aussi voir mes amis pour des sorties culturelles. Nous nous retrouvons pour aller au cinéma, voir des expositions ou des concerts.

Les loisirs

Depuis 2 ans, je suis étudiant à l'université de Varsovie. J'étudie l'économie politique. L'objectif de cette discipline, c'est de trouver des explications et des solutions à des problèmes économiques et sociaux. J'étudie donc le fonctionnement des institutions publiques, des entreprises, des services publics. C'est vraiment très intéressant !

Les études

Je ne sais pas encore exactement ce que je vais faire plus tard. Je voudrais continuer mes études encore quelques années et passer du temps à l'étranger. Ensuite, je travaillerai peut-être comme journaliste ou bien dans des banques ou de grandes entreprises. Mais, je n'ai pas encore décidé.

Des projets

Examinateur : D'accord. Quand vous parlez de passer du temps à l'étranger, est-ce que vous savez où vous aimeriez aller et ce que vous pourriez faire ?

Candidat : Oui, j'aimerais effectuer un master en sciences économiques en Allemagne, à Francfort en particulier. C'est une formation qui m'intéresse beaucoup car elle propose une spécialisation en finances publiques. Et puis, j'adore l'Allemagne. J'y suis allé plusieurs fois en vacances avec des amis. C'est un pays qui me plaît beaucoup. En plus, comme ce n'est pas très loin de la Pologne, je pourrais revenir assez régulièrement à la maison.

Réponse sur un point de la présentation à développer

Examinateur : Oui, j'ai l'impression que c'est important pour vous. Pourriez-vous me raconter vos dernières vacances en famille ?

Candidat : Bien sûr. La dernière fois que nous sommes allés en vacances tous les cinq, c'était à Gdansk. Nous sommes partis une semaine, à la fin du mois d'août. Gdansk est une très belle ville. Il y a beaucoup de monuments, de musées et de théâtres. Nous avons loué une voiture et nous avons eu la chance d'aller au festival de musique de Sopot, à quelques kilomètres de Gdansk. C'est un festival très connu en Pologne. C'était génial ! Nous avons découvert la région des lacs de Mazurie où nous avons fait du kayak. C'était très amusant.

Réponse sur un élément nouveau (ici les vacances)

Examinateur : Merci Cyryl. Nous allons passer à la deuxième partie de l'épreuve.

CE QUE JE RETIENS

▸ Suis-je capable de parler de moi sur des sujets variés (famille, loisirs, travail, études, projets) ?

▸ Est-ce que je peux me présenter clairement et avec suffisamment d'assurance ?

▸ Suis-je capable de répondre à des questions sur un sujet familier me concernant ?

S'ENTRAÎNER

Exercice 2 3 points

Lisez le sujet suivant.

Vous parlez de vous, de vos activités, de vos centres d'intérêt. Vous parlez de votre passé, de votre présent et de vos projets. L'épreuve se déroule sur le mode d'un entretien avec l'examinateur qui amorcera le dialogue par une question (exemples : *Bonjour... Pouvez-vous vous présenter, me parler de vous, de votre famille... ?*).

▶ Préparez votre présentation en parlant de vous, de votre famille, de vos loisirs, de votre travail ou de vos études et de vos projets.

Répondez aux questions que pourrait vous poser l'examinateur :

Sur le passé :
– Où avez-vous passé vos dernières vacances ?
– Parlez-moi de ce que vous avez fait le week-end dernier.
– Parlez-moi de vos études lorsque vous étiez plus jeune.

Sur le présent :
– Parlez-moi de vos passe-temps préférés.
– Décrivez-moi une de vos journées ordinaires.
– Parlez-moi du lieu où vous vivez.

PRÊT POUR L'EXAMEN

❶ Saluer l'examinateur.
❷ Faire une présentation claire.
❸ Organiser sa présentation par thématique.
❹ Répondre aux questions de l'examinateur en développant ses réponses.

Exercice 3 3 points

Lisez le sujet suivant.

Vous parlez de vous, de vos activités, de vos centres d'intérêt. Vous parlez de votre passé, de votre présent et de vos projets. L'épreuve se déroule sur le mode d'un entretien avec l'examinateur qui amorcera le dialogue par une question (exemples : *Bonjour... Pouvez-vous vous présenter, me parler de vous, de votre famille... ?*).

▶ Préparez votre présentation en parlant de vous, de votre famille, de vos loisirs, de votre travail ou de vos études et de vos projets.

Répondez aux questions que pourrait vous poser l'examinateur :

Sur vos projets :
– Pourriez-vous me parler plus précisément de votre travail (ou de vos études) ?
– Quels sont vos projets pour cette année ?
– Comment voyez-vous votre avenir dans 5 ans ?
– Quel pays rêveriez-vous de visiter ?
– Quel serait votre travail idéal ?

PRÊT POUR L'EXAMEN

❶ Sourire et regarder l'examinateur.
❷ Prendre le temps de bien prononcer les mots.
❸ Utiliser du vocabulaire connu.
❹ Choisir les formes grammaticales que l'on maîtrise bien.

2 L'exercice en interaction

5 points

Lisez la consigne donnée pour la deuxième partie de l'épreuve :

Vous tirez au sort deux sujets et vous en choisissez un. Vous jouez le rôle qui vous est indiqué.

Le genre masculin est utilisé pour alléger le texte. Vous pouvez naturellement adapter la situation en adoptant le genre féminin.

▸ Cette deuxième partie se fait sans préparation et dure 3 à 4 minutes.

▸ L'examinateur vous propose plusieurs sujets, vous en prenez deux et vous en choisissez un.

   – Prenez le temps de lire chaque sujet.

   – Cet exercice est une simulation d'interaction. Vous devez jouer un rôle.
     Choisissez la situation avec laquelle vous êtes à l'aise.

   – Prenez le temps de bien comprendre le sujet. Essayez de le reformuler.

   – Réfléchissez rapidement à la situation. S'agit-il d'une situation formelle
     (utilisation du « vous ») ou non formelle (utilisation du « tu ») ?

   – Saluez votre interlocuteur.

   – Présentez-lui la situation : dites-lui qui vous êtes, expliquez-lui le problème et
     parlez de la solution que vous proposez.

   – Donnez poliment votre avis sur les propositions et les remarques de votre interlocuteur.
     Essayez de défendre votre opinion mais aussi de proposer des solutions alternatives
     si vous n'êtes pas d'accord.

   – Lorsque vous trouvez un accord avec votre interlocuteur, remerciez-le et prenez congé.

Sujet choisi :
Vous avez réservé une chambre dans un hôtel à Hendaye pour plusieurs nuits. Un couple, dans la chambre voisine, s'est disputé toute la nuit et vous avez très mal dormi. Vous décidez de parler au réceptionniste de l'hôtel le lendemain matin pour trouver une solution.
L'examinateur joue le rôle du réceptionniste.

Exemple d'interaction entre un candidat et un examinateur :

Examinateur : Bonjour Monsieur. Je peux vous aider ?

Candidat : Oui, je suis hébergé chez vous dans la chambre 114. Je suis arrivé hier, la chambre est confortable, elle est bien équipée et la vue sur la mer est superbe mais il y a un gros problème. Cette nuit, le couple de la chambre 116 s'est disputé. Ils parlaient très fort et cela a duré toute la nuit. J'ai très mal dormi. Je souhaiterais donc changer de chambre.

Examinateur : Je comprends tout à fait, Monsieur, et je suis vraiment désolé. Malheureusement, nous n'avons plus de chambre au même tarif que la vôtre. L'hôtel est pratiquement complet actuellement. Je peux vous offrir des bouchons d'oreilles pour vous protéger du bruit si vous voulez.

Candidat : Je vous remercie, mais je ne peux pas dormir avec cet objet. Vous dites que l'hôtel est pratiquement complet. Cela signifie donc qu'il y a quelques chambres libres ?

Examinateur : Oui, nous avons trois chambres de catégorie supérieure. Elles sont très spacieuses, agréables et elles donnent toutes les trois sur la mer. Nous les vendons avec un supplément de 100 euros par nuit. Si cela vous intéresse, je peux vous en réserver une.

Candidat : Cela m'intéresse effectivement, mais j'espérais que vous me la proposiez gratuitement. C'est tout de même à cause de la mauvaise isolation entre les chambres de l'hôtel que je n'ai pas pu dormir la nuit dernière. Vous ne pourriez pas faire un geste commercial ?

Examinateur : Je regrette, Monsieur, je ne suis que réceptionniste. Je ne peux pas vous faire ce type d'offre. Si vous souhaitez faire une réclamation, il faudrait contacter Mme Barreau. Mais elle est en congés actuellement, elle ne revient que dans trois jours.

Candidat : Je vois. Dans ce cas, vous ne pourriez pas parler au couple de la chambre 116 ? Vous ne pourriez pas leur dire de faire moins de bruit ?

Examinateur : C'est délicat, Monsieur. Ces deux personnes viennent chez nous depuis longtemps, ce sont des clients fidèles et nous n'avons jamais eu de problème avec eux. Je ne voudrais pas les fâcher.

Candidat : Si vous les connaissez, pourquoi ne pas leur proposer une autre chambre ? Ils accepteraient sûrement.

Examinateur : Non, car ils s'en vont demain matin. Soyez patient.

Candidat : Mais, j'ai besoin de dormir tranquille. Je refuse de prendre à nouveau le risque de passer une nuit comme celle d'hier.

Examinateur : Je comprends. Écoutez, j'ai peut-être une solution. J'ai une dernière chambre de libre. Je ne vous l'ai pas proposée car c'est une chambre qu'on ne vend presque jamais. C'est une chambre plus petite, sans vue sur la mer. Elle est très calme. Le seul problème, c'est que la salle de bains est dans le couloir de l'hôtel. Est-ce que vous accepteriez d'y passer une nuit ? Vous pourriez retrouver votre chambre actuelle dès demain matin, au départ des clients de la chambre 116.

Candidat : Bon, si c'est le seul moyen de passer une bonne nuit, sans dépenser plus, j'accepte. Mais à condition de retrouver ma chambre demain et de ne pas avoir d'autres ennuis ensuite.

Examinateur : C'est promis, Monsieur. Nous y ferons attention.

Candidat : Je vous remercie, Monsieur. Je vais donc préparer mes affaires.

Examinateur : Oui, appelez-nous quand vous êtes prêt, nous vous porterons les valises dans votre nouvelle chambre. Bonne journée.

Candidat : Merci, bonne journée également !

CE QUE JE RETIENS

▶ Est-ce que j'ai bien compris le rôle qu'on me demande de jouer (respect de la situation, des règles de politesse) ?

▶ Est-ce que je suis capable de présenter la situation à mon interlocuteur ?

▶ Est-ce que je suis capable de donner mon opinion, de la défendre, d'apporter des précisions et de confirmer des informations ?

▶ Est-ce que je peux adapter mes propositions aux réponses de mon interlocuteur ?

1 - Vous avez tiré au sort deux sujets pour la deuxième partie de l'épreuve. Vous en choisissez un.

> **Sujet choisi :**
> Vous passez une semaine de vacances avec votre ami français et sa famille dans une maison de location. Depuis le début du séjour, c'est vous qui faites les courses et qui préparez les repas. Vous n'êtes pas satisfait de cette situation. Vous parlez avec votre ami pour trouver une solution.
> *L'examinateur joue le rôle de votre ami.*

2 - Jouez le rôle qui vous est indiqué.

PRÊT POUR L'EXAMEN

❶ Lire plusieurs fois la consigne avant de commencer à parler.
Il est important de bien comprendre la situation.
❷ Décrire la situation ou le problème de manière claire et polie.
Il est possible de commencer par parler des points positifs avant de se concentrer sur les points négatifs.
❸ Faire des propositions simples et concrètes à son interlocuteur.
❹ Tenir compte des remarques de son interlocuteur pour faire de nouvelles propositions.
❺ À la fin de l'interaction, remercier et saluer son interlocuteur.

1 - Vous avez tiré au sort deux sujets pour la deuxième partie de l'épreuve. Vous en choisissez un.

> **Sujet choisi :**
> Vous étudiez le français pendant un mois à Nice. Votre professeur utilise souvent l'anglais pour expliquer des mots car tout le monde comprend cette langue. Vous n'êtes pas d'accord avec ce choix. Vous parlez à votre professeur pour le convaincre de changer sa méthode de travail.
> *L'examinateur jour le rôle de votre professeur.*

2 - Jouez le rôle qui vous est indiqué.

PRÊT POUR L'EXAMEN

❶ Utiliser du vocabulaire connu et maîtrisé. Essayer de varier vos formulations (synonymes, expressions).
❷ Choisir des structures de phrases qui ne posent pas de problème.
Faire des phrases simples correctes et essayer de produire quelques phrases complexes (pronoms relatifs, complétives).
❸ Utiliser des temps et modes variés (indicatif, conditionnel, subjonctif).
❹ Parler de manière claire, ni trop vite ni trop lentement, en articulant.
S'exercer et enregistrer sa voix en français pour améliorer la prononciation.

3 Le monologue suivi

Lisez la consigne donnée pour la troisième partie de l'examen.

Vous tirez au sort deux sujets et vous en choisissez un. Vous dégagez le thème soulevé par le document et vous présentez votre opinion sous la forme d'un exposé personnel de 3 minutes environ. L'examinateur pourra vous poser quelques questions.

▸ Pour cette troisième partie, vous avez 10 minutes de préparation, avant le déroulement de l'épreuve. Cette partie dure entre 5 et 7 minutes en tout (exposé et échange avec l'examinateur).

▸ L'examinateur vous propose plusieurs sujets, vous en prenez deux et vous en choisissez un.

– Prenez le temps de lire chaque sujet.

– Choisissez le sujet sur lequel vous avez le plus de choses à dire.

Les congés illimités, une fausse bonne idée ?

Pour certaines sociétés, la clé d'une bonne gestion de ses équipes est la confiance. Les employeurs ne surveillent pas leurs salariés car ils considèrent que ce sont des adultes responsables. Ils leur offrent des vacances illimitées : s'ils partent se reposer, c'est qu'ils en ont besoin et qu'ils seront plus performants dans leur travail à leur retour.

Avec cette pratique, les salariés peuvent donc prendre autant de congés payés qu'ils le souhaitent, quand ils le souhaitent. Il leur suffit d'informer le reste de l'équipe pour que les projets continuent d'avancer. L'objectif principal est de conserver la motivation de l'équipe.

Mais, même si l'idée semble tentante, le principe des congés illimités risque néanmoins de montrer des limites. Certains salariés, persuadés de ne jamais avoir terminé leurs missions, risquent de ne jamais profiter des vacances illimitées.

D'après *http://www.francetvinfo.fr*, Anna Pereira, 16 juillet 2016 .

▸ Vous avez 10 minutes pour préparer votre présentation.

– Pendant la préparation, n'écrivez pas toutes les phrases de votre exposé.

– Notez vos idées de manière efficace (sous forme de plan détaillé, de carte ou de schéma).

Exemple de plan détaillé :

Introduction : Faut-il limiter le temps de congés ?
Question posée par un article publié sur le site internet de la chaîne de télévision française *France Télévisions*.

---

1. **Les congés devraient être pris quand on en a besoin.**
    1.1. Pour des raisons de santé et d'efficacité au travail.
    1.2. Manière de reprendre le contrôle de son temps, d'être autonome et de se sentir plus libre.
2. **Les conséquences sur le travail**
    2.1. Résultats meilleurs, équipe plus solidaire et motivée.
    2.2. Certains employés risquent de prendre trop de vacances ?
    2.3. Comment mettre ce système en place ?
3. **Le risque des excès**
    3.1. Nécessité de définir par la loi un nombre minimum de congés, égal pour tous.
    3.2. Certains employeurs pourraient exagérer et demander toujours plus de travail.

Conclusion : Cette nouvelle idée de la distribution des congés ne présente-elle pas au final plus d'avantages pour l'entreprise que pour l'employé ? Illusion d'être plus libre de son temps, mais en réalité, risque de travailler plus.

Exemple de présentation développée par un candidat :

Le sujet que je souhaite vous présenter a pour thème le temps de congés. Dans un article publié sur le site internet de la chaîne de télévision française *France Télévisions*, une journaliste, Anna Pereira, explique que certaines entreprises considèrent que les employés devraient prendre leurs congés non seulement quand ils le souhaitent, mais aussi autant qu'ils le souhaitent. **Nous allons voir** ensemble pourquoi les congés devraient être pris quand on en a besoin, **puis nous parlerons** des conséquences de cette nouvelle façon de travailler. **Enfin, nous analyserons** les limites de cette idée nouvelle.

Tout d'abord, je pense que pour des raisons de santé et d'efficacité au travail, il peut être utile de prendre des congés quand c'est nécessaire. Cela permet de se reposer, de retrouver de l'énergie pour pouvoir revenir au travail en forme pour avancer sur ses projets. **Et puis,** c'est une façon d'organiser librement son temps de travail. C'est important car comme le pensent certains employeurs, les employés sont des adultes responsables, capables d'organiser leur travail et leur vie personnelle de manière équilibrée. **D'ailleurs,** de nombreux adultes qui travaillent seuls, à leur compte, savent bien comment organiser leur temps de travail. Permettre ce type de liberté à des employés d'entreprises est une manière de leur donner la possibilité de reprendre le contrôle de leur temps.

Voyons à présent quelles sont les conséquences sur le travail. D'après l'article, nous apprenons que les résultats sont meilleurs pour les entreprises. Les projets progressent mieux car les équipes sont plus solidaires et motivées. Je crois que cela fonctionne bien dans les entreprises où les employés font un travail qu'ils aiment. Tout le monde, dans ce cas, a envie que le projet réussisse et tous font beaucoup d'efforts. Cependant, dans certains cas, je pense que les effets ne sont pas aussi positifs. Quand, par exemple, un employé fait un métier qu'il n'a pas choisi, je ne crois pas qu'il ait envie de donner la priorité au travail plutôt qu'à ses vacances. De la même manière, cela peut poser problème lorsqu'une personne ne s'intéresse pas trop au projet et compte sur ses collègues pour que le projet avance.

De plus, je me demande comment on peut mettre ce système en place. Comment être certain que les employés travaillent tous autant ? Si ce genre d'accord est passé dans une entreprise, il faut être sûr que l'employé sera payé en fonction du travail qu'il aura fourni.

Cela me permet de passer à mon dernier point, sur les limites de ce nouveau droit et le risque d'excès. Cette nouvelle façon de voir les congés peut être vue comme un droit nouveau. Le droit, comme je l'ai dit avant, d'organiser librement son temps. **Toutefois,** je pense que les personnes très motivées risquent de ne jamais prendre de vacances. Elles auront toujours l'impression de ne pas avoir terminé leur travail. **C'est pourquoi**, il me semble qu'il est nécessaire de définir par la loi un nombre minimum de congés, égal pour tous.

Certains employeurs pourraient exagérer et demander toujours plus de travail à leurs équipes pour réaliser de plus en plus de projets. Je connais une amie qui travaille dans un pays où le travail a une place très importante. Elle travaille beaucoup et est très fatiguée par ce qu'elle fait. Elle ne prend presque jamais de congés. Ne pas donner de limite minimale ou maximale est, à mon avis, une décision contre l'égalité des droits.

Pour conclure, je crois que cette nouvelle idée sur le nombre illimité de congés a au final plus d'avantages pour l'entreprise que pour l'employé. L'employé aura l'illusion d'être plus libre de son temps, mais en réalité, il risque de travailler plus que s'il avait un nombre de congés limité. Pour que cette idée soit juste, il faut en discuter en détail avec l'entreprise, faire une expérience de quelques mois et analyser les résultats. Il faut aussi que tous les employés soient d'accord avec ce nouveau fonctionnement.

CE QUE JE RETIENS

▸ Est-ce que je suis capable de préparer ma présentation sous forme de notes ?

▸ Est-ce que je peux introduire le sujet de manière simple ?

▸ Est-ce que je peux exprimer mon point de vue avec suffisamment de précision ?

▸ Mon discours est-il organisé et facile à suivre ?

▸ Est-ce que je connais les expressions utiles pour donner mon opinion ?

Exercice 8　　　　　　　　　　　　　　　（5 points）

1 - Vous avez tiré au sort deux sujets pour la troisième partie de l'épreuve. Vous en choisissez un.

Chère famille

Mariages, divorces, espérance de vie plus longue… L'évolution de la société change-t-elle nos valeurs familiales ? D'après un récent sondage, pour de nombreux Français, la famille est essentielle. Elle est amour, solidarité et bonheur.

Pourtant, la moitié des Français sont convaincus qu'on donne moins d'importance à la famille qu'il y a trente ans. C'est étrange car 70 % d'entre eux disent se sentir plus proches de leur famille que de leurs amis.

Pour ce qui est de la solidarité, deux tiers des Français se disent prêts à héberger leurs parents âgés, chiffre qui monte à 73 % pour ceux dont les revenus mensuels sont plus bas et qui n'ont pas les moyens de payer une maison de retraite. Et l'argent ? 91 % des parents français disent épargner pour laisser un héritage à leurs enfants, alors que 8 % ne souhaitent pas le faire.

D'après *www.leparisien.fr*, Nadia Le Brun, 5 décembre 2015.

2 - Vous préparez votre exposé pendant 10 minutes. Vous présentez votre opinion personnelle pendant environ 3 minutes.

3 - Après votre présentation, l'examinateur pourra vous poser quelques questions, comme par exemple :

– Pensez-vous que la famille ait moins d'importance qu'avant ? Pour quelles raisons ?

– Quelles sont les valeurs que vous associez à la famille ? Pourquoi ?

– Que pensez-vous de la solidarité familiale ? Comment peut-on aider sa famille ?

– Dans quelle mesure les amis comptent-ils autant que la famille ?

PRÊT POUR L'EXAMEN

❶ Préparer sa présentation sous forme de notes.

❷ Donner son point de vue en s'appuyant sur les informations dans l'article et son expérience personnelle.

❸ Répondre aux questions de l'examinateur en donnant le plus d'éléments possibles.

Exercice 9   5 points

1 - Vous avez tiré au sort deux sujets pour la troisième partie de l'épreuve. Vous en choisissez un.

Des lycéens participent à un concours pour améliorer Wikipédia

Des lycéens de toute la France ont contribué à enrichir l'encyclopédie en ligne dans le cadre du Wikiconcours, présidé par le magazine *Phosphore*. Les apprentissages de cet exercice étaient multiples : choix du sujet, recherches, travail d'écriture, vérification des sources ou encore relecture.

Wikipédia est une encyclopédie exigeante avec des règles strictes : interdiction de copier-coller ce qui existe déjà, neutralité et précision dans l'écriture. « Nous avons découvert que derrière son apparente simplicité, on ne pouvait pas publier n'importe quoi sur cet outil ! », confie Thomas, participant au concours. « Il faut réussir à enrichir la culture de tous. Les publications doivent donc être utiles au plus grand nombre ! », ajoute Camille, une autre lycéenne.

Ce concours a permis à tous de mieux comprendre comment fonctionne la publication de contenus sur Internet et d'acquérir des compétences utiles. Pourquoi pas vous ?

D'après *www.phosphore.com*, Lison Herledan, 22 juin 2016.

2 - Vous préparez votre exposé pendant 10 minutes. Vous présentez votre opinion personnelle pendant environ 3 minutes.

3 - Après votre présentation, l'examinateur pourra vous poser quelques questions, comme par exemple :

– En quoi est-il utile d'avoir ce type de projets au lycée ?

– Quelle valeur donner aux articles publiés sur Wikipédia ?

– Comment peut-on être sûr des informations qu'on trouve sur Internet ?

PRÊT POUR L'EXAMEN

❶ Pendant la préparation, bien réfléchir à l'introduction et à la conclusion.

❷ Organiser ses idées de façon logique.

❸ Respirer avant le début de l'exposé et parler clairement.

PRÊT POUR L'EXAMEN !

Communication

- Accepter
- Conclure
- Conseiller
- Décrire une situation
- Demander une autorisation
- Développer un thème
- Entrer en contact
- Faire une transition
- Introduire un sujet
- Proposer
- Refuser
- Saluer
- Se présenter

Socioculturel

▸ Être capable d'interagir dans une situation imprévue

▸ Percevoir les différences de registres dans les discours

▸ Savoir minimiser, corriger en s'excusant, adapter son opinion

▸ Savoir décrire les caractéristiques de la société

▸ Être capable de comprendre le point de vue de l'interlocuteur

Grammaire

Les connecteurs logiques
Les phrases simples
Les phrases complexes
Les temps et les modes
L'hypothèse
Les tournures impersonnelles
Les pronoms (possessifs, interrogatifs, indéfinis)

Vocabulaire

▸ Famille
▸ Études
▸ Loisirs
▸ Opinion
▸ Projets
▸ Sentiments
▸ Travail

STRATÉGIES

1. Pendant la préparation de l'examen, je me concentre sur les informations que je suis capable d'exprimer.

2. Si j'ai un doute ou si je n'arrive plus à me rappeler un mot, j'essaie d'expliquer ce que je veux dire par une définition ou un synonyme.

3. Je n'hésite pas à me corriger si je me rends compte d'une erreur (mot, accord, choix d'un temps).

Se présenter

Je me présente, je m'appelle…
Je suis d'origine mexicaine.
Je suis votre nouveau voisin.

Proposer

Je vous propose de prendre un taxi pour rentrer.
Et si on sortait dîner ensemble demain soir ?
Pourquoi ne viendrais-tu pas nous rendre visite en Italie ?

Demander une autorisation

Est-ce qu'on pourrait utiliser l'imprimante, s'il vous plaît ?
Est-ce que tu me permets de sortir ce soir ?
Ça te va si j'accompagne Marc à la bibliothèque ?
Si tu le permets, j'aimerais bien préparer le dîner ce soir.
Je souhaiterais envoyer un courriel.

Introduire un sujet

J'aimerais vous parler du problème du logement à Paris.
Nous allons voir ensemble l'importance de la famille dans notre société.
Le premier point que je voudrais expliquer…
Premièrement, il faut rappeler que…

Développer un thème

Cette nouvelle façon de travailler est une révolution.

De la même manière, on peut voir qu'Internet est un média essentiel pour les jeunes.
Cela me fait penser à un film que j'ai vu récemment.

Faire une transition

Je passe maintenant à mon deuxième point.
Passons à la question suivante.

Conclure

Pour terminer, je dirais que…
En conclusion, nous devons nous interroger sur l'avenir.
Pour résumer, voici les points essentiels à retenir.
Finalement, il est possible de vivre de cette façon.

Parler de la famille

Un état civil
Un époux
Une épouse
Un compagnon
Une compagne
Un enfant
Un mariage
Une séparation
Vivre ensemble

Parler des loisirs

Le temps libre
Adorer
Détester
Préférer
Se passionner pour
S'intéresser à
Se distraire
Un goût

Un intérêt
Un spectacle
Une réservation
Un jeu de hasard
Le jardinage
Le bricolage

Parler des projets

Un but
Un objectif
Une intention
Chercher à
Rechercher
Afin (de + infinitif / que + subjonctif)

Donner son opinion

Un avis
Réfléchir
Conclure
Déduire
Supposer
Observer
Constater
Généraliser
Vérifier
Prouver
Démontrer

Exprimer des sentiments

Un espoir
La confiance
La fierté
Le calme
L'ennui
La haine
L'amour
La tendresse
Ressentir
Adorer

Je suis prêt ? Les 4 questions à se poser

1. Est-ce que je suis capable de me présenter (2 minutes environ) ?

2. Est-ce que je peux répondre à des questions me concernant ?

3. Suis-je capable de discuter pour trouver une solution à une situation problématique ?

4. Est-ce que je suis capable de présenter mon opinion sur un sujet d'intérêt général ?

✔ À faire

AVANT L'EXAMEN

☐ **enrichir le** vocabulaire
chercher des synonymes pour donner des informations
personnelles et son opinion

☐ **réviser la** syntaxe
les phrases simples et complexes
les conjugaisons des verbes permettant de se présenter
et de donner son opinion
l'utilisation des différents temps et modes
l'utilisation des prépositions, des adjectifs possessifs
et démonstratifs

☐ **s'entraîner à parler à voix haute devant un miroir,**
devant un ami, s'enregistrer

LE JOUR DE L'EXAMEN

☐ respirer et se détendre
☐ saluer l'examinateur
☐ bien lire les consignes
☐ parler clairement
☐ penser à organiser son discours avec des connecteurs
(*tout d'abord, de plus, d'ailleurs*, etc.)
☐ chercher à mobiliser un vocabulaire varié
☐ faire des réponses détaillées, riches en informations

AUTO-ÉVALUATION

Compréhension de l'oral	Oui	Pas toujours	Pas encore
Je peux comprendre une information factuelle sur des sujets de la vie quotidienne.			
Je peux comprendre les points principaux d'une interaction entre locuteurs natifs, d'une émission de radio ou d'un enregistrement sur des sujets familiers.			
Je peux identifier des points de vue ou des récits d'expérience portant sur des sujets d'intérêt personnel.			

Compréhension des écrits	Oui	Pas toujours	Pas encore
Je peux comprendre des textes rédigés dans une langue courante ou en relation avec mes intérêts (mon travail, mes loisirs, etc.)			
Je peux identifier l'information pertinente dans des écrits quotidiens (lettres, dépliants et courts documents officiels).			
Je peux sélectionner et réunir des informations provenant de différentes parties du texte ou de textes différents afin d'accomplir une tâche spécifique.			
Je peux reconnaître les idées principales d'un article de journal sur un sujet familier et non complexe.			

Production écrite	Oui	Pas toujours	Pas encore
Je peux écrire des textes articulés présentant des descriptions d'événements, ou des comptes rendus d'expériences portant sur des sujets familiers.			
Je peux écrire des textes d'intérêt personnel exprimant des sentiments ou des réactions sur des sujets variés familiers.			
Je peux apporter des informations et donner des explications sur des sujets abstraits et concrets.			

Production orale	Oui	Pas toujours	Pas encore
Je peux parler de moi avec une certaine assurance et répondre à des questions sur des sujets familiers.			
Je peux me débrouiller dans des situations même un peu inhabituelles de la vie quotidienne.			
Je peux présenter mon point de vue de manière assez claire sur des sujets familiers d'intérêt général.			

Compréhension de l'oral 25 minutes | 25 points |

Vous allez entendre 3 documents sonores, correspondant à 3 exercices.
Pour le premier et le deuxième document, vous aurez :
– 30 secondes pour lire les questions ;
– une première écoute, puis 30 secondes de pause pour commencer à répondre aux questions ;
– une seconde écoute, puis 1 minute de pause pour compléter vos réponses.
Pour répondre aux questions, cochez (☑) la bonne réponse ou écrivez l'information demandée.

Exercice 1 **6 points**

(L'arrêt des études)

Lisez les questions, écoutez le document puis répondez.

1. Romain annonce à son père qu'il veut...   1 point
a. ☐ travailler à temps complet.
b. ☐ arrêter définitivement ses études.
c. ☐ suivre un autre parcours universitaire.

2. La décision de Romain s'explique par...   1 point
a. ☐ le coût des études.
b. ☐ la difficulté des cours.
c. ☐ le nombre d'heures de cours.

3. Le père de Romain lui propose de...   1 point
a. ☐ suivre des cours à domicile.
b. ☐ l'aider à chercher du travail.
c. ☐ s'inscrire dans une autre université.

4. Romain pense ne pas avoir perdu son temps parce qu'il...   1 point
a. ☐ a gagné beaucoup d'argent.
b. ☐ sait que ses parents vont l'aider.
c. ☐ a les idées claires sur son avenir.

5. Que pourra faire Romain avec l'argent qu'il gagnera dans son travail ?   1 point

....

....

6. Finalement, le père de Romain...   1 point
a. ☐ choisit d'en reparler plus tard.
b. ☐ accepte la décision de son fils.
c. ☐ trouve le projet trop compliqué.

Exercice 2 **8 points** PISTE 44

(La recherche d'emploi par Internet)

Lisez les questions, écoutez le document puis répondez.

1. Le document présente l'évolution... 1 point
a. ☐ des modes de recrutement.
b. ☐ des exigences des employeurs.
c. ☐ des compétences des candidats.

2. D'après l'enquête, une partie des Français trouve que la candidature spontanée... 1 point
a. ☐ est un outil indispensable.
b. ☐ donne des résultats satisfaisants.
c. ☐ devrait se développer grâce à Internet.

3. Parmi les demandeurs d'emploi, quels sont ceux qui s'adressent surtout
à leur entourage ? *(2 éléments attendus)* 2 points

....

....

4. Les plus jeunes préfèrent que les entreprises... 1 point
a. ☐ aient un site Internet accueillant.
b. ☐ publient leurs offres d'emploi en ligne.
c. ☐ organisent des rencontres professionnelles.

5. D'après le document, dans quels domaines de la vie quotidienne
utilise-t-on déjà Internet ? *(3 éléments attendus)* 1,5 point

....

....

....

6. Quels seront les avantages pour le candidat du recrutement en ligne ?
(plusieurs réponses possibles, une seule attendue) 1,5 point

....

....

Exercice 3 | **11 points** PISTE 45

(Louer ou acheter ?)

Vous aurez une minute pour lire les questions ci-dessous. Puis vous entendrez une première fois un document sonore. Ensuite, vous aurez 3 minutes pour répondre aux questions. Vous écouterez une seconde fois l'enregistrement. Après la seconde écoute, vous aurez encore 2 minutes pour compléter vos réponses. Pour répondre aux questions, cochez (☑) la bonne réponse ou écrivez l'information demandée.
Lisez les questions, écoutez le document puis répondez.

1. D'après le document, ce qui compte pour les Français, c'est... | 1 point
a. ☐ d'utiliser...
b. ☐ de prêter...   des objets.
c. ☐ de posséder...

2. Quels produits les Français accepteraient-il de louer ?
(plusieurs réponses possibles, 2 éléments attendus) | 2 points

....

....

3. Quel est l'inconvénient de certains produits technologiques ?
(plusieurs réponses possibles, 1 seule attendue) | 2 points

....

4. Face à ces changements, les entreprises... | 1 point
a. ☐ essaient de vendre davantage.
b. ☐ proposent des produits à bas prix.
c. ☐ réagissent en offrant de nouveaux services.

5. Ce nouveau mode de consommation a des conséquences... | 1 point
a. ☐ politiques.
b. ☐ écologiques.
c. ☐ scientifiques.

6. Pour quelle raison les entreprises ont intérêt à produire mieux ? | 2 points

....

7. Les Français achètent des produits récents s'ils sont... | 1 point
a. ☐ solides.
b. ☐ à bon prix.
c. ☐ indispensables.

8. Ce qui est nouveau aujourd'hui, c'est qu'on ne vend que... | 1 point
a. ☐ l'utilisation...
b. ☐ la fabrication...   des objets.
c. ☐ la distribution...

Compréhension des écrits 35 minutes 25 points

Exercice 1 10 points

Lisez le texte, puis répondez aux questions, en cochant (☑) la bonne réponse ou en écrivant l'information demandée.

Un logement pour une mission

Vous partez en France pour une mission professionnelle d'une semaine à Reims.

Vous recherchez un logement qui réponde aux critères suivants :

– accessible à pied depuis la gare ;

– connexion à Internet dans la chambre ;

– petit-déjeuner inclus dans le tarif ;

– possibilité de dîner sur place ;

– contacts avec les propriétaires.

L'Abri du voyageur

Situé dans le centre-ville de Reims, l'établissement se trouve à 5 minutes à pied de la gare. L'hôtel, une entreprise familiale depuis 3 générations, vous propose des chambres équipées d'une connexion Wi-Fi gratuite.

Les hébergements sont également équipés d'une télévision, d'une salle de bains privée avec sèche-cheveux et articles de toilette.

L'hôtel comporte un bar servant boissons froides et chaudes. Un petit-déjeuner buffet est servi tous les matins pour un supplément de 11 euros par jour.

Pour vos repas, déjeuners ou dîners, l'hôtel travaille en partenariat avec plusieurs restaurants du quartier. N'hésitez pas à demander conseil aux propriétaires !

Maison Duverny

Situé à 15 km de Reims, la Maison Duverny vous propose un séjour familial à la campagne. Il est possible de venir vous chercher à la gare. Si vous êtes en voiture, le stationnement sur place est gratuit.

Chaque chambre possède une connexion à Internet, une télévision et une salle de bains privative avec une douche.

Le petit-déjeuner, compris dans le tarif de la chambre, est servi tous les matins sur la terrasse.

Le soir, profitez d'un repas préparé et servi par les propriétaires.

Vous pourrez profiter d'un service de prêt de vélos pour visiter la région.

Appart'Hôtel

Situé dans le centre de Reims, à seulement 200 mètres de la gare SNCF, Appart'Hôtel propose des studios indépendants, disposant d'une télévision, d'un bureau, d'une armoire et d'une salle de bains. Leur cuisine est équipée d'un four à micro-ondes, d'une plaque de cuisson et d'un réfrigérateur. Vous bénéficierez d'une connexion Wi-Fi dans le hall de l'immeuble et d'un parking public à proximité. Un petit-déjeuner est servi chaque matin pour 10 euros. Des épiceries et des restaurants sont installés à quelques minutes de marche de l'établissement pour les autres repas.

Appart'Hôtel est la solution parfaite pour ceux qui veulent découvrir seuls la ville.

La Demeure sacrée

Située dans le centre de Reims – la gare se trouve à seulement 300 mètres de l'établissement – la maison d'hôtes « La Demeure sacrée » vous propose des hébergements élégants ainsi qu'un grand jardin.

Décorées dans un style contemporain, toutes les chambres comportent un coin salon, une télévision et une connexion Wi-Fi gratuite. Certaines possèdent une terrasse.

Le petit-déjeuner est inclus dans le tarif de la chambre, les autres repas sont à votre charge. Tous les repas sont faits maison.

De plus, vous pourrez profiter d'un salon commun pour discuter avec les propriétaires ou simplement vous détendre.

1. Pour chaque offre de logement et pour chaque critère proposé, mettez une croix (X) dans la case « Convient » ou « Ne convient pas ». 10 points (0,5 point par case)

	OFFRE N°1 L'Abri du voyageur		OFFRE N°2 Maison Duverny		OFFRE N°3 Appart'Hôtel		OFFRE N°4 La Demeure sacrée	
	Convient	Ne convient pas	Convient	Ne convient pas	Convient	Ne convient pas	Convient	Ne convient pas
Situation								
Internet								
Petit-déjeuner								
Dîner								
Contacts avec propriétaires								

2. Finalement, vous choisissez quelle offre de logement ? *(On retirera un point si la réponse à cette question n'est pas logique par rapport aux cases cochées.)*

....

Exercice 2 **15 points**

Lisez le texte suivant puis répondez aux questions en cochant (☑) ou en complétant la bonne réponse.

Télémédecine Une autre offre de soins en projet

Pour améliorer la qualité des soins, la télémédecine se développe. Explications avec le Dr Derrien.

Journal du Pays Yonnais : La télémédecine, c'est quoi ?

Dr Gwenaëlle Derrien : Il s'agit d'un acte médical pratiqué à distance. La télémédecine est en plein développement grâce aux progrès technologiques de l'information et de la communication, comme Internet ou la visioconférence.

La télémédecine regroupe plusieurs façons de travailler : la téléexpertise, dans le cas où deux professionnels de santé échangent leurs avis sur un patient. Il y a également la téléconsultation. Cette dernière se fait en présence du patient, toujours accompagné d'un professionnel de santé. Par exemple, une personne âgée et son infirmière pourront consulter un médecin depuis le domicile. La télémédecine peut également être utilisée dans les hôpitaux comme téléassistance ; cela permet, par exemple, à un professionnel d'assister à distance à une opération. Il y a enfin la télésurveillance médicale, qui permet de suivre à distance un patient grâce à des appareils installés dans son habitation.

Quels sont les avantages, en termes de soins, de la télémédecine ?

D'abord, la télémédecine rend possible l'accès des soins pour tous. Les patients qui ne peuvent pas bouger ne sont plus obligés de se déplacer. Ils peuvent aussi avoir une consultation spécialisée dans un délai plus court.

Certains craignent que la télémédecine remplace un échange physique entre patient et docteur…

Pas du tout. La télémédecine ne va pas se soustraire à la consultation classique. Il faut voir ça comme une offre de soins en plus. Le personnel médical qui se sent prêt à utiliser la télémédecine devra juste penser à prévoir un temps réservé aux téléconsultations dans l'agenda.

Ce système est-il plus adapté pour certains patients, plutôt que d'autres ?

On l'utilise certainement plus pour les personnes du troisième âge. Depuis trois ans, une expérimentation, gérée par le Dr Frédéric Mignien, est en place en Vendée*, au centre hospitalier de Challans. Plusieurs maisons de retraite se sont équipées en télémédecine. On constate, aujourd'hui, que la télémédecine permet de répondre à deux objectifs. Elle propose d'abord des soins de meilleure qualité grâce à une rapidité d'action. Elle répond aussi à des objectifs financiers puisque la facture est diminuée en raison de la baisse du nombre de déplacements et d'hospitalisations.

La télémédecine est donc un vrai plus pour la santé ?

Oui, c'est surtout une pratique qui va devenir indispensable pour faire face au vieillissement de la population et à la baisse du nombre de médecins.

D'après Stéphanie Hourdeau, *Journal du Pays Yonnais*, 11 mai 2016.

*Vendée : département situé au Nord-Ouest de la France.

1. Cet article présente...   1 point

a. ☐ une nouvelle spécialité médicale.

b. ☐ un nouveau problème de santé publique.

c. ☐ un nouveau fonctionnement de la médecine.

2. Qu'est-ce qui favorise la pratique de la télémédecine ?   2 points

....

3. Vrai ou Faux ? Cochez ☑ la case correspondante et recopiez la phrase ou
la partie de texte qui justifie votre réponse.   6 points (4 x 1,5 point)

Le candidat obtient la totalité des points si le choix Vrai/Faux et la justification sont corrects, sinon aucun point.	Vrai	Faux
a. La télémédecine ne s'exerce que d'une seule manière. Justification :		
b. Pour une téléconsultation, le patient est toujours seul à son domicile. Justification :		
c. La télémédecine peut être pratiquée dans les centres hospitaliers. Justification :		
d. La télésurveillance médicale nécessite d'équiper le domicile des patients. Justification :		

4. Grâce à la télémédecine, ...   1 point

a. ☐ les soins sont gratuits.

b. ☐ tout le monde peut être soigné.

c. ☐ les professionnels sont plus efficaces.

5. La télémédecine...   1 point

a. ☐ simplifie...

b. ☐ complète...   la structure médicale classique.

c. ☐ transforme...

6. Comment doit s'organiser un professionnel intéressé par la télémédecine ?   2 points

....

7. La télémédecine concerne plus particulièrement le traitement de...   1 point

a. ☐ la jeunesse.

b. ☐ l'âge adulte.

c. ☐ la vieillesse.

8. D'après le document, la télémédecine...   1 point

a. ☐ est une solution satisfaisante.

b. ☐ a besoin d'être encore améliorée.

c. ☐ apporte des résultats surprenants.

Production écrite

45 minutes | 25 points

Vous êtes étudiant en Belgique. Afin de préparer son prochain numéro, le journal de votre université lance un appel à témoignages sur le thème suivant : « Faut-il faire une année de pause dans ses études ? »

Vous décidez de participer. Vous donnez votre avis en vous appuyant sur votre expérience et vos observations. Vous présentez vos idées et donnez des exemples concrets (160 mots minimum).

ÉPREUVE INDIVIDUELLE 1

Production et interaction orales

15 minutes | 25 points

Exercice 1   Entretien dirigé

2 à 3 minutes environ

Sans préparation

Objectif : Décrire ses expériences

Vous parlez de vous, de vos activités, de vos centres d'intérêt. Vous parlez de votre passé, de votre présent et de vos projets. L'épreuve se déroule sur le mode d'un entretien avec l'examinateur qui amorcera le dialogue par une question (exemples : *Bonjour... Pouvez-vous vous présenter, me parler de vous, de votre famille...*).

Les questions peuvent aborder les thèmes suivants :
- Où avez-vous passé vos dernières vacances ?
- Qu'est-ce que vous êtes en train d'étudier ?
- Que voulez-vous faire plus tard ?
- Parlez-moi de vos passe-temps préférés.

Exercice 2   Exercice en interaction

3 à 4 minutes environ

Sans préparation

Objectif : Affirmer son point de vue

Vous tirez au sort deux sujets et vous en choisissez un. Vous jouez le rôle qui vous est indiqué.

Sujet 1   Vous êtes étudiant à l'université de Bordeaux. Votre professeur de français vous demande régulièrement des travaux à faire seul. Vous aimeriez travailler en groupe car vous pensez que c'est intéressant pour votre formation. Vous rencontrez votre professeur pour lui présenter vos idées et chercher à le convaincre.

L'examinateur joue le rôle du professeur.

Sujet 2   Un ami français et sa famille sont en vacances chez vous. Vous aimeriez partager des activités ensemble (repas, sorties) mais c'est impossible car ils n'ont pas le même rythme que vous (ils se lèvent et se couchent tard). Vous discutez avec votre ami pour lui présenter le problème et trouver une solution.

L'examinateur joue le rôle de l'ami.

Sujet 3   Vous travaillez dans une entreprise francophone. Votre collègue a pris l'habitude de toujours compter sur vous pour finir à temps les projets que vous menez ensemble. Vous n'acceptez plus cette situation. Vous allez voir votre collègue pour lui parler et trouver une solution.

L'examinateur joue le rôle du collègue.

Sujet 4   Depuis quelques mois, votre voisin français loue souvent son appartement à des touristes. Votre vie quotidienne est devenue difficile (bruit, fêtes la nuit, arrivées et départs à toute heure de la journée, poubelles laissées dans la cour, etc.). Vous rencontrez votre voisin pour expliquer le problème et trouver une solution.

L'examinateur joue le rôle du voisin.

Exercice 3 ## Expression d'un point de vue   **5 à 7 minutes environ**

10 minutes de préparation

Objectif : Donner des explications et prendre position

Vous tirez au sort deux documents. Vous en choisissez un.
Vous dégagez le thème soulevé par le document et
vous présentez votre opinion sous la forme d'un exposé personnel
de 3 minutes environ.

L'examinateur pourra vous poser quelques questions.

Document 1

Écovélo : être payé pour faire du vélo !

Vous êtes plutôt écologiste et vous aimez rouler à vélo ? Bonne nouvelle : votre bonne action pour l'environnement pourrait aussi vous rapporter de l'argent. C'est ce que propose Écovélo !

Écovélo est un projet développé par Human Concept, une petite entreprise de Nantes. L'idée est très simple : vous utilisez votre vélo et, à la fin du mois, vous obtenez un salaire. Comment ? Il suffit de faire poser des publicités sur votre véhicule. Une application sur le téléphone calcule votre utilisation de la bicyclette et vos trajets. Plus vous roulez, plus vous passez dans des lieux fréquentés et plus vous gagnez !

En moyenne, les cyclistes gagnent 60 euros par mois, mais ça peut monter jusqu'à 125 euros. Vous avez besoin d'argent et vous aimez faire du vélo ? Ce bon plan est pour vous !

D'après Gnouleleng Egbelou, *http://www.studyrama.com*

Document 2

Voter à 16 ans, les jeunes n'en veulent pas

Certains partis politiques souhaitent abaisser le droit de vote à 16 ans. Partout, on en débat… entre adultes. Le Conseil de la jeunesse – l'organe officiel d'avis des jeunes francophones – a posé la question aux jeunes eux-mêmes. Un millier d'entre eux – la plupart avaient de 16 à 21 ans – ont été interrogés cet été et résultat : l'immense majorité des jeunes est… contre ! 79 % d'entre eux se prononcent contre le droit de vote précoce. Beaucoup ont peur de ne pas avoir un sens critique suffisant pour résister à la pression de leurs parents et de leurs amis. Pour certains, voter à 16 ans serait même un danger.

À l'inverse, même s'ils sont minoritaires, certains pensent qu'ils se sentiraient de cette manière plus responsables et voter à 16 ans, ce serait utiliser légitimement la liberté d'expression.

D'après Éric Burgraff, *http://www.lesoir.be*, 25 octobre 2015.

Document 3

Pas de travail en dehors du bureau !

Si vous souhaitez être plus efficace et mieux apprécier votre travail, arrêtez de travailler quand votre journée de travail est terminée.

Aujourd'hui, il est facile de travailler n'importe quand, n'importe où. Pourtant, les jours de travail sans fin sont aussi mauvais pour les employés que les employeurs. Rester connecté en permanence est contre-productif, produit du travail de mauvaise qualité, conduit à davantage d'erreurs et de problèmes de santé qui ont des conséquences sur la productivité. Les études montrent qu'avoir des limites strictes permet de mieux profiter des périodes de repos et d'améliorer la qualité du travail fourni.

Avoir des loisirs aide à se détacher de son travail à la fin de la journée. Si vous décidez que votre journée de travail doit s'arrêter à 18 h, prenez un cours de yoga à 18 h 30 ou organisez des soirées avec des amis !

D'après L.V. Anderson, *http://www.slate.fr*, 1er janvier 2016.

Document 4

La formation en alternance* : la voie royale sur le chemin de l'emploi ?

L'alternance est un excellent moyen pour les jeunes de trouver rapidement un emploi. Les métiers du secteur alimentaire recherchent particulièrement ce profil d'étudiants. « *Sur les 5 000 jeunes en alternance que nous recrutons chaque année, 800 sont demandés en boucherie, boulangerie-pâtisserie, en charcuterie et en poissonnerie. Environ 70 % d'entre eux sont ensuite embauchés en CDI** », précise Thierry Roger, le directeur de l'espace emploi de Carrefour.

La formation en alternance recrute des étudiants motivés et rigoureux. « *Il faut faire partie des meilleurs, car il ne s'agit pas seulement de suivre les cours. Il faut aussi pouvoir bien travailler en entreprise* », rappelle Julie Mleczko, la rédactrice en chef du site internet *Studyrama.com*. Alors, faut-il développer l'accès à ce type de formations ?

D'après *http://www.metronews.fr*, 27 novembre 2014.

* Formation en alternance : type de formation organisé selon des périodes de cours et des périodes en entreprise.

* CDI : Contrat à Durée Indéterminée.

Compréhension de l'oral 25 minutes | 25 points |

Vous allez entendre 3 documents sonores correspondant à 3 exercices.
Pour le premier et le deuxième document, vous aurez :
– 30 secondes pour lire les questions ;
– une première écoute, puis 30 secondes de pause pour commencer à répondre aux questions ;
– une seconde écoute, puis 1 minute de pause pour compléter vos réponses.
Pour répondre aux questions, cochez (☑) la bonne réponse ou écrivez l'information demandée.

Exercice 1   6 points

(Un nouveau job)

Vous travaillez dans une école primaire. Votre collègue discute avec Stella, une étudiante en stage. Vous entendez leur conversation. Lisez les questions, écoutez le document puis répondez.

1. Dans le document, Stella et le directeur...   1 point
a. ☐ choisissent le programme des premiers jours.
b. ☐ se rencontrent pour la première fois à l'école.
c. ☐ font le bilan après la première semaine de travail.

2. Le directeur propose à Stella de...   1 point
a. ☐ faire des activités tous les jours.
b. ☐ s'occuper d'ateliers certains jours.
c. ☐ donner des cours à une seule classe.

3. Quel est le but des activités proposées par Stella aux enfants de 6 ans ?
(2 réponses possibles)   1 point

....

4. Pour la dernière année de primaire, Stella doit prévoir que tous les enfants...   1 point
a. ☐ jouent d'un instrument de musique.
b. ☐ montent sur scène après trois mois.
c. ☐ présentent une pièce de théâtre.

5. Stella doit animer le mardi matin et le jeudi matin...   1 point
a. ☐ des cours artistiques.
b. ☐ des cours de gymnastique.
c. ☐ des cours de musique.

6. À la fin de la semaine, que veut lire le directeur sur le travail de Stella ?
(2 réponses, 0,5 point par réponse)   1 point

....

ÉPREUVE COLLECTIVE 2

Exercice 2 **8 points** PISTE 47

(Nouvelles normes écologiques)

Vous travaillez dans une grande entreprise. Vous écoutez le directeur du personnel parler des nouvelles normes écologiques. Lisez les questions, écoutez le document puis répondez.

1. Le responsable de l'entreprise réunit les salariés...   1 point
a. ☐ pour discuter...
b. ☐ pour critiquer...   de nouvelles règles.
c. ☐ pour présenter...

2. La première mesure proposée par le directeur concerne...   1 point
a. ☐ l'organisation des parkings.
b. ☐ l'encouragement à venir à vélo.
c. ☐ l'interdiction de prendre sa voiture.

3. Pour consommer moins de photocopies, le directeur décide...   1 point
a. ☐ de bloquer les photocopieurs.
b. ☐ de réserver le papier aux documents urgents.
c. ☐ de faire un cadeau aux salariés éco-responsables.

4. Que devront faire tous les soirs les chefs de chaque service ? *(2 réponses)*   2 points

....

....

5. Pour quelle raison le directeur veut-il installer quatre poubelles à chaque étage ?   1,5 point

....

....

....

6. Que devront apprendre les salariés pendant la journée de formation annuelle
obligatoire ?   1,5 point

....

....

....

Exercice 3 — 11 points

(Le temps de travail choisi)

Vous faites un stage comme assistant dans un service de ressources humaines. Vous êtes avec une personne de ce service dans le bureau de direction. Vous entendez leur conversation.
Vous aurez une minute pour lire les questions ci-dessous. Puis vous entendrez une première fois un document sonore. Ensuite, vous aurez 3 minutes pour répondre aux questions. Vous écouterez une seconde fois l'enregistrement. Après la seconde écoute, vous aurez encore 2 minutes pour compléter vos réponses. Pour répondre aux questions, cochez (☑) la bonne réponse ou écrivez l'information demandée. Lisez les questions, écoutez le document puis répondez.

1. Le dialogue se déroule...   1 point
a. ☐ entre deux nouveaux salariés.
b. ☐ entre deux responsables de service.
c. ☐ entre un responsable et un représentant du personnel.

2. Le thème de la discussion concerne...   1 point
a. ☐ la réduction du temps de travail.
b. ☐ la possibilité de travailler en partie chez soi.
c. ☐ l'équilibre du temps de travail et du temps personnel.

3. Madame Dewaele n'est pas d'accord avec Monsieur Martinez
sur un premier point. Lequel ?   2 points
....

4. Les deux personnes pensent que...   1 point
a. ☐ le personnel souhaite moins travailler.
b. ☐ le personnel doit travailler plus efficacement.
c. ☐ le personnel est capable de s'adapter au travail.

5. Pour Monsieur Martinez, le travail administratif...   1 point
a. ☐ peut être fait parfois...
b. ☐ peut être fait totalement...   à la maison.
c. ☐ ne peut absolument pas être fait...

6. Que propose concrètement Madame Dewaele pour le télétravail ?   2 points
....

7. Madame Dewaele justifie la mesure concrète proposée en raison...   1 point
a. ☐ de la vie personnelle des salariés.
b. ☐ de l'enquête faite par les chefs de service.
c. ☐ du vote des salariés en faveur de la mesure.

8. Finalement, quelles sont les propositions de Madame Dewaele pour
décider Monsieur Martinez sur le télétravail ? Citez-en deux.   2 points
....

....

Compréhension des écrits 35 minutes | 25 points |

Exercice 1 10 points

Lisez le texte, puis répondez aux questions, en cochant (☑) la bonne réponse ou en écrivant l'information demandée.

Un logement pour un stage

Vous venez de recevoir une bourse pour un stage professionnel à Bordeaux en France dans une entreprise du centre-ville. Le stage se déroule du 1er mars au 31 mai. Vous contactez le service du personnel de l'entreprise pour trouver un logement. Le service du personnel vous envoie 4 possibilités de logement. Vous devez vérifier s'ils correspondent à vos critères :
– **Prix** : vous ne voulez pas dépenser plus de 500 € par mois pour vous loger.
– **Services** : vous voulez faire votre cuisine sur place, et votre lessive.
– **Confort** : vous souhaitez une chambre meublée pour vous seul(e).
– **Durée** : votre stage dure 3 mois et vous souhaitez rester 2 semaines de plus à Bordeaux.
– **Situation** : vous voulez habiter à côté de votre entreprise pour venir à pied ou à vélo.

Auberge de jeunesse : *Bel été*
Ouvert d'avril à octobre.
Chambres individuelles équipées de coin cuisine et salle de bains.
Immeuble calme sur 5 étages.
Salles collectives pour cuisiner, se rencontrer.
Point info tourisme ouvert le matin.
Située près du centre, 5 stations de métro.
Location possible à la semaine : 120 € la semaine.
Possibilité de location de machines à laver : 30 € par mois.
Accès salle informatique, connexion internet : 5 €/jour .

Cité pour apprentis : *Foyer du jeune travailleur*
Ouvert toute l'année
Location de grandes chambres pour deux personnes, salle de bains privée.
Possibilité de cuisine à l'étage.
Pas d'appareil électroménager à disposition.
Le foyer se trouve très près du centre, à 15 minutes à pied de l'Hôtel de ville.
Loyer par mois : 430 €.
Électricité, eau, gaz : abonnement de 50 € par mois.
Salle à manger et de télévision au rez-de-chaussée.
Accès internet illimité.
Fermeture du foyer de minuit à 5 h du matin.

Résidence internationale : *World Students*

Pour étudiants internationaux inscrits à l'université de Bordeaux.

Petits appartements avec cuisine, salle de bains toute équipée.

Située sur le campus de l'université, à 5 km de Bordeaux.

Équipements sportifs réservés aux locataires : salle de sport, terrain de tennis, sauna.

380 € par personne par mois.

Non fumeur.

Chaque appartement avec Wi-Fi gratuit.

Fermeture de toute la résidence le week-end (du vendredi soir au dimanche soir).

Parking privé gratuit.

Appartement collectif temporaire : *45 rue Lecocq*

Appartement de 4 chambres en colocation.

Location possible pour une durée de 2 à 4 mois.

Cuisine, salle de bains, chauffage, équipements de base : four micro-ondes, cuisinière, machine à laver.

Garage vélo sécurisé.

Immeuble en centre-ville.

Par personne : 410 € par mois.

Supplément électricité en fonction de la consommation.

Connexion internet : 25 € / mois.

Immeuble avec conciergerie.

1. Pour chaque offre de logement et pour chaque critère proposé, mettez une croix dans la case « Convient » ou « Ne convient pas ». 10 points (0,5 par case)

	OFFRE N°1 Bel été		OFFRE N°2 Foyer du jeune travailleur		OFFRE N°3 World Students		OFFRE N°4 45 rue Lecocq	
	Convient	Ne convient pas	Convient	Ne convient pas	Convient	Ne convient pas	Convient	Ne convient pas
Prix								
Services								
Confort								
Durée								
Situation								

2. Quelle offre de logement vous convient ? *(On retirera un point si la réponse à cette question n'est pas logique par rapport aux cases cochées.)*

Exercice 2   15 points

Vous souhaitez venir travailler en France pour quelques années.
Lisez le texte suivant puis répondez aux questions en cochant (☑) ou en complétant la bonne réponse.

FICHE MÉTIER

Chauffeur de transport de personnes

Le chauffeur de transport de personnes prend en charge le déplacement de personnes privées d'un lieu à un autre avec son automobile, pour 9 personnes maximum. Il doit réaliser le transport de personnes en toute sécurité et en respectant les règles de conduite et de circulation. C'est un métier qui demande beaucoup d'adaptation, de discrétion et de compétences sociales et relationnelles. Il peut être en contact avec tout type de population : touristique, professionnelle, familiale, étrangère, etc. C'est un métier qui se développe en raison des mobilités modernes de plus en plus fréquentes.

• Activités et qualités

Conduire une voiture pour pouvoir se déplacer semble aujourd'hui très naturel. Mais le chauffeur de transport de personnes, de taxi ou de voiture privée, doit savoir accueillir les voyageurs et les renseigner sur le temps et le trajet et, bien sûr, bien connaître le chemin pour arriver à destination. Il faut alors connaître la ville ou la région où il travaille, et surtout savoir lire des cartes routières et programmer correctement son GPS.

Il faut aimer conduire par tous les temps, sous la pluie, sous la neige ou par grande chaleur. Parfois, l'itinéraire prévu peut être modifié en raison de problèmes de circulation (embouteillages, accidents, fermetures de rue…) et le chauffeur doit être capable de trouver très vite une solution et rassurer les clients. Sa conduite doit être prudente et efficace et respecter le code de la route (limitation de vitesse, interdictions). Le chauffeur doit prendre soin de la mécanique de son automobile et suivre les instructions d'entretien (visites régulières chez le garagiste, réparations et contrôles).

Le transport des personnes oblige à respecter le comportement ou la culture des voyageurs, il doit avoir une relation aimable et professionnelle avec eux. Et il doit être capable de travailler dans le stress et garder son calme avec des clients énervés, impatients ou de mauvaise humeur.

Conditions de travail

Ce travail demande souvent d'avoir un emploi du temps irrégulier ou décalé comme par exemple travailler le soir, la nuit, en fin de semaine ou pendant les jours fériés ou les vacances des autres.

On ne peut pas travailler sans diplôme ou qualification professionnelle. Il faut un permis de conduire et il est préférable d'avoir une expérience professionnelle dans le domaine des transports. Tous les cinq ans, il est obligatoire de suivre une formation continue pour avoir l'autorisation de continuer à exercer le métier.

Il est possible d'avoir son entreprise privée de transport mais les conditions sont plus difficiles parce qu'on est dépendant financièrement de son activité. On peut aussi être salarié dans une entreprise de transport.

Perspectives professionnelles

Avec l'expérience, on peut évoluer vers des services de transport de personnes dans l'administration, dans l'armée, dans des institutions publiques. On peut encore se spécialiser dans des livraisons de produits spécifiques pour le secteur de la pharmacie, de la médecine ou le transport de produits industriels.

1. Ce document...   1 point

a. ☐ donne un avis sur un métier.

b. ☐ fait la description d'un métier.

c. ☐ encourage à exercer un métier.

2. Dans ce document, il est question du métier...   1 point

a. ☐ de chauffeur privé.

b. ☐ de chauffeur de bus.

c. ☐ de chauffeur de camion.

3. Quelle est la raison donnée par l'auteur pour expliquer que c'est
un métier d'avenir ?   2 points

....

4. Répondez aux questions en cochant ☑ Vrai ou Faux et en citant
la partie du texte qui justifie la réponse.   6 points (4 x 1,5 point)

Le candidat obtient la totalité des points si le choix Vrai/Faux et la justification sont correctes, sinon aucun point.	Vrai	Faux
a. Pour pouvoir s'orienter, le chauffeur doit avoir du matériel. Justification :		
b. Le chauffeur doit toujours bien suivre son itinéraire prévu. Justification :		
c. Le chauffeur doit avoir des compétences techniques. Justification :		
d. Le chauffeur doit affirmer son vrai caractère avec les voyageurs. Justification :		

5. Quels sont les inconvénients des horaires de travail ?   2 points

....

6. Pour exercer ce métier, ...   1 point

a. ☐ un permis de conduire est suffisant.

b. ☐ une formation professionnelle est nécessaire.

c. ☐ une expérience dans le transport est possible.

7. Tous les cinq ans, le chauffeur doit...   1 point

a. ☐ passer un contrôle pour le permis de conduire des personnes.

b. ☐ se présenter à un examen professionnel complémentaire.

c. ☐ retourner à l'école pour actualiser ses connaissances.

8. Chauffeur de transport de personnes est un métier qui peut permettre...   1 point

a. ☐ de travailler comme livreur.

b. ☐ de faire carrière dans l'administration.

c. ☐ de devenir un responsable industriel.

Production écrite

45 minutes | 25 points |

Un voyage d'affaires en France

Vous travaillez pour une entreprise francophone. Vous avez passé une semaine en mission en France et vous avez visité et rencontré différents clients de votre entreprise. Votre directeur vous demande de rendre compte du voyage professionnel, de lui raconter les visites et les rendez-vous que vous avez eus. Vous donnez vos impressions et quelques conseils (160 mots minimum).

....

....

....

....

....

....

....

....

....

....

....

....

....

....

....

....

....

....

....

....

....

....

....

....

Production et interaction orales

15 minutes | **25 points**

Exercice 1   Entretien dirigé

2 à 3 minutes environ

Sans préparation

Objectif : Décrire ses expériences

Vous parlez de vous, de vos activités professionnelles, des différentes tâches de votre travail, de vos conditions de travail, de votre formation et expériences professionnelles ou de vos projets.

> **Les questions peuvent aborder les thèmes suivants :**
> • Depuis quand travaillez-vous dans cette entreprise ?
> • Qu'est-ce qui vous plaît le plus dans votre formation/dans votre travail ?
> • Que souhaitez-vous changer dans vos conditions de travail ?
> • Comment voyez-vous votre avenir professionnel dans 5 ans ?

Exercice 2   Exercice en interaction

3 à 4 minutes environ

Sans préparation

Objectif : Affirmer son point de vue

Vous tirez au sort deux sujets et vous en choisissez un. Vous jouez le rôle qui vous est indiqué.

> **Sujet 1**   **Un job sans salaire**
>
> Vous travaillez tous les samedis soir au guichet de vente de billets au stade de football de votre ville. Un samedi à 18 heures, le responsable vous annonce que le match est annulé et que le stade sera fermé. Il vous demande de rentrer chez vous et vous dit que le temps de travail non fait ne sera pas payé. Vous n'êtes pas d'accord et discutez avec le responsable pour trouver une solution.
>
> **L'examinateur joue le rôle du responsable.**
>
> **Sujet 2**   **Un début de travail trop tôt**
>
> Vous travaillez dans un supermarché. Le responsable du magasin veut contrôler tous les produits et les stocks la semaine prochaine. Il demande à tous les employé(e)s d'être là au moins trois jours de 4 h 30 à 8 h 30 pour faire ce travail d'inventaire. Vous venez au travail en bus mais le service ne commence qu'à 5 heures le matin. Vous discutez avec le responsable pour trouver une solution.
>
> **L'examinateur joue le rôle du responsable du magasin.**
>
> **Sujet 3**   **Des vêtements de travail à acheter**
>
> Vous allez faire un stage de trois mois dans un laboratoire de chimie. Une semaine avant le stage, vous rencontrez le responsable qui vous présente les tâches que vous ferez. Il vous demande de porter des vêtements qui protègent les mains et le visage et vous donne l'adresse d'une boutique spécialisée en ville. Vous n'êtes pas d'accord pour acheter cet équipement avec votre argent.
>
> **L'examinateur joue le rôle du responsable du laboratoire de chimie.**

Sujet 4 **Un bureau (trop) confortable**

Vous avez changé de bureau avec vos trois collègues. Vous êtes ensemble dans un grand bureau tout neuf et confortable. Il y a deux copieurs, quatre imprimantes, deux machines à café expresso et un distributeur de boissons chaudes. Tous ces appareils font beaucoup de bruit et les collègues des autres bureaux viennent boire et discuter près des machines. Cela devient très difficile de travailler. Vous discutez avec le responsable pour trouver une solution.

L'examinateur joue le rôle du responsable du bureau.

Exercice 3 **Expression d'un point de vue** **5 à 7 minutes environ**

10 minutes de préparation

Objectif : Donner des explications et prendre position

Vous tirez au sort deux documents. Vous en choisissez un. Vous dégagez le thème soulevé par le document et vous présentez votre opinion sous la forme d'un court exposé de 3 minutes environ.

L'examinateur pourra vous poser quelques questions.

Document 1

« Toute la France monte dans ma voiture ! »

En dix ans d'existence, ce site célèbre de covoiturage a gagné 25 millions de membres dans le monde, dont plusieurs millions en France. Il y a bien sûr des explications économiques au succès de ce mode de transport. Mais le critère le plus important est surtout la convivialité. Le covoiturage, c'est deux, quatre ou six heures d'un transport réellement en commun qui ne coûte pas cher mais qui apporte beaucoup ! Sylvie, 40 ans, professeure de yoga, ne prend jamais sa voiture sans emmener avec elle d'autres voyageurs. « Quand j'ai commencé le covoiturage, j'étais très déprimée, ma vie était nulle. Et le covoiturage, ça m'a fait revivre ! Jamais je n'aurais rencontré toutes ces personnes dans la vraie vie ». En effet, le trajet est en France de 330 km en moyenne, coûte 20 € mais est l'occasion d'une mixité sociale, générationnelle et culturelle.

D'après *Le Monde*, 10-11 avril 2016.

Document 2

Équilibrer vie perso et vie pro !

Une des difficultés rencontrées par les salariés est de réussir à combiner vie professionnelle et vie personnelle. Temps libre de moins en moins fréquent ou messages électroniques à traiter sur son Smartphone le soir ou le week-end… Les salariés ne peuvent plus déconnecter et les mondes professionnel et personnel se confondent ou se mélangent : ils peuvent travailler partout et tout le temps. Mais la solution ne serait-elle pas l'entreprise « libérée » ?

Idée lancée en 2009 par un économiste, l'entreprise libérée promet d'augmenter la productivité des entreprises tout en libérant les employés de la hiérarchie et du contrôle. Ceux-ci s'organisent librement et deviennent autonomes et responsables. En pratique, les horaires libres sont acceptés, les vacances deviennent « illimitées » et la pyramide hiérarchique disparaît. Ainsi, l'entreprise libérée doit favoriser un équilibre « vie pro/vie perso » idéal.

D'après *http://www.huffingtonpost.fr*, 29 avril 2016.

Document 3

Faire des affaires… à table

Le repas de travail était autrefois une vraie tradition gastronomique française. Aujourd'hui, le repas d'affaires évolue en fonction de la société. Il faut d'abord bien le préparer et en connaître tous les secrets. Bien sûr, avant tout, c'est la convivialité qui est la priorité mais ce sont aussi le profit et l'efficacité de cette rencontre professionnelle autour d'un repas qu'il faut garder à l'esprit.

Pour son entreprise, c'est le moment de signer des commandes avec ses fournisseurs entre deux plats ou de négocier avec ses futurs partenaires commerciaux. Et là, les détails sont importants : la réservation du lieu et de l'horaire, le choix du restaurant, l'atmosphère calme et détendue doivent permettre de traiter avec sérieux les choses sérieuses. Sans oublier la question actuelle que tous les invités ont en tête : manger, oui, mais ne pas grossir ! L'organisation d'un repas de travail est encore plus importante quand on doit déjeuner avec des interlocuteurs étrangers. Il est donc conseillé de se renseigner avant sur les habitudes du pays en question afin d'éviter des erreurs inexcusables.

Document 4

Internet au bureau

Avant les périodes de fêtes ou en été, les préoccupations personnelles remplacent peu à peu les activités de bureau : un commentaire sur un réseau social, une vidéo à regarder, une paire de chaussures à acheter pendant les soldes ou une promotion de voyage à réserver… et personne au bureau ne le remarque. En fait, vous êtes autorisé à le faire, mais dans la limite du raisonnable, car Internet est un outil à votre disposition dans un cadre professionnel. En juin 2014, une étude montrait que 58 % des clics au bureau en France étaient d'ordre personnel, soit 63 minutes par jour ! Quelle est donc cette utilisation « raisonnable » d'un point de vue juridique ? « Il n'y a pas réellement de cadre juridique », indique un avocat en droit social. Plusieurs critères sont pris en compte : la fréquence de connexion ainsi que sa durée. Puis, le moment choisi pour se connecter au bureau : si c'est à la pause déjeuner, la faute est moins importante que pendant le temps de travail.

TRANSCRIPTIONS

SE PRÉPARER

Activité 1, p.12 PISTE 2

– Bonjour Madame la directrice. Je suis Monsieur Duportel et j'ai rendez-vous.

– Ah, oui ! Avec moi. Suivez-moi, entrez dans mon bureau. J'imagine que vous savez pourquoi je voulais vous voir au collège.

– Pas du tout ! Il y a un problème avec ma fille Solène ? Ses résultats sont bons ce trimestre et elle est heureuse d'être dans sa classe avec ses copines.

– Effectivement ! Je reçois des plaintes de tous les professeurs. Je vous lis les commentaires : « Solène n'est pas concentrée, Solène rit, bavarde, Solène n'écoute pas et dérange les cours depuis deux semaines ». Comment expliquez-vous cela ?

– Si je comprends bien, elle est heureuse et joyeuse en classe et cela pose problème ?

– Enfin monsieur, les élèves sont à l'école pour écouter et apprendre, pas pour s'amuser ! Comment expliquez-vous ce comportement ? Ce n'est pas normal. Il s'est passé quelque chose à la maison, dans votre famille ?

– Ah, je sais ! Il y a deux semaines, nous lui avons annoncé qu'elle aurait bientôt un petit frère. Oui, nous attendons un second enfant. Alors elle est tellement excitée !

Activité 2, p.12 PISTE 3

– Coucou Cindy, me voilà enfin à la maison ! Une heure de queue à la poste pour prendre ce paquet, c'est inacceptable !

– Bon, et ça y est, tu l'as bien emporté ? Alors, qu'est-ce qu'il y a dans ce paquet ? Mais, Thomas, tu ne l'as pas encore ouvert ?

– Non, pas encore, j'ai passé trop de temps à attendre et j'étais pressé de rentrer à la maison. Ouvre-le si tu veux !

– Oh c'est à mon nom. OK je regarde. Alors, qu'est-ce que c'est que ce papier cadeau avec une carte de… Oh mais c'est toi qui m'as écrit la carte ! C'est un cadeau de toi ? Mais pourquoi ?

– Ma chérie, c'est la Saint-Valentin aujourd'hui, la fête des amoureux.

– Oh, tu es un amour. Je suis trop contente !

Activité 3, p.13 PISTE 4

– Pardon monsieur, vous faites quoi exactement ?

– Bonjour madame. Rien de spécial, je visite la ville, pourquoi ?

– Excusez-moi mais vous venez de me prendre en photo !

– Tout à fait, je fais un petit reportage sur les gens qui traversent cette place ; je m'intéresse en fait aux passants qui sont typiques de cette ville.

– Et alors, vous faites des portraits sans demander l'autorisation des personnes ? Mais, je ne suis pas d'accord ! Et dans quel but utilisez-vous les photos ?

– Ne vous inquiétez pas, c'est un projet de livre de voyage à travers des villes d'Europe et je fais attention à ce qu'on ne reconnaisse pas les visages. Regardez, je vous montre les photos.

– Ah oui, c'est bien, les gens sont pris de loin ou de dos. Très bien, je préfère. Merci et bonne chance pour votre projet.

Activité 4, p.14 PISTES 5, 6, 7

Dialogue 1 PISTE 5

– Salut David, à ce soir ! On se retrouve vers 20 h chez Hugo ?

– Pas de problème, mais il habite où exactement ?

– Tu sais bien, là, derrière la gare, près de l'hôtel ISIS !

– Je vois bien, on est devant la gare et il y a l'hôtel dans la rue derrière. Mais je ne suis allé chez Hugo qu'une seule fois. Quand tu es devant l'hôtel, c'est l'immeuble à gauche ou à droite ?

– Non, c'est en face, tout à côté de la gare ! C'est le numéro 37 au troisième étage. Et son code en bas de l'immeuble c'est 42A67.

– Ah bon, d'accord ! Tu m'envoies le code sur mon téléphone, s'il te plaît, parce que je vais vite l'oublier !

– OK ça marche. À ce soir !

Dialogue 2 PISTE 6

– Excusez-moi, vous travaillez ici, madame ? Je cherche la salle des Impressionnistes, c'est par là ?

– Jeune homme, vous n'êtes pas dans le bon sens de la visite. Là, vous vous éloignez si vous continuez à cet étage.

– Ah, c'est à l'étage inférieur ?

– L'exposition est organisée par époque : au rez-de-chaussée, il y a les peintres hollandais et italiens, puis au premier étage, c'est tout le XIXᵉ siècle et ici, ce sont les peintres français de 1920 aux peintres modernes. Donc vous devez redescendre d'un étage !

– C'est vrai, les Impressionnistes, c'est le XIXᵉ siècle ! Merci beaucoup.

Dialogue 3 PISTE 7

– Dites-moi Inspecteur, on a bien retrouvé le corps dans la salle à manger ?

– Oui, Commissaire, il était allongé sur le tapis près de la table, tout habillé mais avec les pieds nus.

– Bon, on vient de retrouver ses chaussures sous le canapé. Donc on peut penser qu'il se dirigeait du salon vers la table de la salle à manger ?

– Peut-être.

– Qui l'a retrouvé là ? Et qui vous a téléphoné pour prévenir la police ?

– Mme Michaud, sa femme de ménage. Elle était là à 8 h comme tous les mardis matin et c'est elle qui a découvert Monsieur. Elle attend maintenant dans la cuisine pour répondre à vos questions.

– D'accord, on y va !

Activité 5, p.14 PISTE 8

– Tiens, Clara, tu as déjà fini ton cours de danse ?

– Oui, c'était super ! 45 minutes à bouger et à sauter, ça m'a fait du bien. Bon, je vais prendre ma douche ! Et toi, Hélène, ton cours de musculation, ça s'est bien passé ?

– Oh, au début, j'ai dû prendre du temps pour réchauffer

mes muscles, j'étais toute raide. Au bout de 10 minutes, j'ai démarré mes exercices en soulevant des poids de 10 kilos puis des poids de 15 kilos, alors là c'était vraiment trop lourd à lever et j'ai arrêté. Après, mon prof m'a demandé de courir sur un tapis pendant 5 minutes mais le plus vite possible. Une demi-heure intensive, quoi ! Et toi, le cours de danse ?

– Trop bien. On a appris de nouveaux mouvements sur des rythmes différents : petits pas, grands pas, et on devait bouger notre corps, les bras, les jambes, en position bien droite puis penchée, etc. Ce n'était pas facile et je suis même tombée une fois. Je me suis fait un peu mal au pied mais je me suis relevée et j'ai continué à danser. On avait aussi de la très bonne musique qui aide bien à se déplacer en rythme. Bon, je me douche. Tu repars tout de suite ou tu m'attends ?

– Non, non, je dois m'en aller et on se retrouve mardi prochain. Salut Clara !

Activité 6, p.15 PISTE 9

– Allez, chers amis, en route pour l'excursion à travers le Val de Loire ! Tout le monde est prêt ?

– Attends Daniel, j'ai un problème de chaussures. Qui peut me prêter des chaussures de marche, pointure 42 ?

– Toujours toi, Dylan, qu'on attend. Tu sais qu'une balade de cinq heures à la campagne nécessite du bon matériel ! On va faire aujourd'hui environ 35 km, on va passer par des chemins pas toujours très confortables ou faciles, il faut donc prévoir au minimum de bonnes chaussures et des vêtements de sport adaptés. On va traverser des villages, on va peut-être ralentir la marche à la fin de l'excursion mais on ne fera pas de pause dans un café !

– C'est bon, Daniel, je viens de changer de chaussures ! Mais je ne savais pas encore ce matin si je voulais partir avec vous parce qu'il pleuvait vraiment beaucoup. Une excursion, ça doit aussi être du plaisir, non ?

Activité 7, p.15 PISTES 10, 11

Dialogue 1 PISTE 10

– Dis Justine, qu'est-ce que c'est agréable d'être à la plage, tranquillement, il fait vraiment beau. C'est vrai que les vagues sont grosses mais je vais nager un peu !

– Attends, je crois que c'est dangereux aujourd'hui, ça me fait un peu peur.

– Arrête, calme-toi ! Je prends ma planche et je vais m'amuser dans les vagues. Je reste pas loin du bord.

– Écoute, Paul, je me fais du souci, il n'y a personne dans l'eau et le vent est fort.

– Ça va aller et je reviens si je vois que c'est trop difficile de nager et de surfer, d'accord ?

– Hum, ça me rassure un peu… Écoute, je viens avec toi et je nagerai à côté.

Dialogue 2 PISTE 11

– J'attends un coup de téléphone depuis hier, Samira, et je m'inquiète beaucoup. Le chauffagiste doit absolument prendre rendez-vous pour venir réparer le chauffage. Il ne marche plus !

– Ne te fais pas du souci comme ça, Arthur ! Il t'a dit qu'il venait avant ce week-end. Sois patient !

– D'accord mais s'il a un plus gros problème chez un autre client ? Ou s'il a oublié ? Comment je fais, moi ? Il fait plus froid et je te rappelle que mes parents viennent samedi soir.

– Attends, si ça peut te rassurer, chez moi il y a une chambre d'amis et je peux aussi les recevoir. Une nuit, c'est simple à organiser. Arrête de t'angoisser, on n'est que mardi !

– T'as raison Samira. Ta proposition d'hébergement me soulage. Merci !

– Ah, Arthur, ton téléphone sonne ! C'est qui ?

– Ouf, c'est lui, c'est mon chauffagiste… Allô ?

Activité 8, p.16 PISTE 12

– Ça y est, Léna, c'est fini ! Nous voilà diplômés de chimie. Quel bonheur de pouvoir enfin trouver un travail et gagner de l'argent !

– Oui. C'est génial, c'est vrai. On n'aura plus besoin de se lever pour aller en cours, à la bibliothèque, préparer les examens et ne penser qu'à ça. Mais tu sais, Georges, ça me déprime en même temps…

– Comment ça ? Qu'est-ce qui t'arrive ? Ce diplôme nous a fait rêver, non ? Moi, je suis tellement heureux ! Regarde comme il est beau, notre diplôme !

– Tu as raison, mais il va falloir chercher du travail, et on va connaître la vie métro-boulot-dodo. Finis les fêtes, les copains, les nuits à sortir…

– Allez, c'est déprimant ce que tu dis. Moi, je vais d'abord profiter de la vie, partir un an faire le tour du monde, faire tout ce que je veux. Bref, le bonheur absolu !

– D'accord, commençons à rêver alors !

Activité 9, p.17 PISTE 13

– Dites, Monsieur Josselin, vous avez vu mon nouvel emploi du temps pendant la pause déjeuner ? À la rentrée, je travaillerai à la cantine les lundis, mardis et mercredis et je ferai le ménage dans les classes pour le reste de la semaine entre midi et 13 h 30. C'est pas possible !

– Bah moi, je m'en doutais. Ce n'est pas vraiment une surprise. Vous savez, Madame Bretaut, travailler à l'école, ce n'est pas passionnant. Alors, ici ou là, ça ne m'intéresse pas, c'est toujours aussi fatigant !

– Vous êtes sérieux ? C'est plus sympa de travailler à l'extérieur comme vous que faire mon boulot avec les élèves, le bruit !

– Bof. Moi, je travaille dans la cour, dans le parc, sur le stade, c'est vrai, je respire le bon air. Mais c'est dur en hiver ET en été.

– C'est incroyable ! Vous avez la chance de profiter des saisons, non ? Vous n'êtes jamais content, vous !

– C'est bon, de toute façon, tout ça, ça ne m'intéresse pas. Laissez-moi tranquille !

Activité 10, p.17 PISTES 14, 15

Extrait 1 PISTE 14

Chers amis, bonjour. Heureuse de vous retrouver à l'antenne ce samedi midi. Le sport, bon pour la santé, bon pour les affaires, bon pour le commerce, est en ce moment aussi le sujet de nombreux scandales financiers. Pourtant, à côté d'une presse qui se nourrit de la mauvaise image du sport, il existe des professionnels qui vivent leur activité avec passion. Vous l'aurez compris, nous allons parler aujourd'hui dans notre émission des sportifs de haut niveau, et surtout de ces nouvelles sportives qui gagnent et s'engagent pour le sport avec un grand S !

Extrait 2 `PISTE 15`

Excusez-moi de vous déranger, je voudrais savoir si vous avez une image positive du sport. Vous savez qu'en ce moment on parle beaucoup des scandales et des affaires judiciaires qui touchent le monde du sport. Mais on voudrait connaître votre avis sur les « vrais » sportifs et sportives qui vivent avec passion de leur sport. Alors, vous êtes d'accord avec l'image des médias ou non ?

Activité 11, p.18 `PISTE 16`

Cher Monsieur Bensoussan, mon cher Marcel, c'est avec émotion que je prononce ces mots avant votre départ. Oui, après 45 ans passés dans notre garage, vous allez nous quitter pour prendre votre retraite. Vous êtes arrivé ici comme apprenti mécanicien et vous partez aujourd'hui comme chef d'atelier de 30 mécaniciens. Bravo, votre passion pour les motos nous a aidés à développer notre entreprise et nous sommes devenus, grâce à vous, les spécialistes de la réparation des motos de compétition. Quand notre entreprise a connu des difficultés économiques, il y a 15 ans, vous étiez, Marcel, délégué du personnel et nous avons pu ensemble prendre les bonnes décisions pour choisir le secteur moto. Tous les employés ont accepté ce changement et les clients sont revenus. Je vous exprime tous nos compliments, cher Marcel, pour votre succès professionnel qui est aussi notre succès. Félicitations à vous et je suis en même temps admiratif et un peu triste de vous quitter. Portons un toast à votre retraite !

Activité 12, p.18 `PISTE 17`

Entrez, Myriam, asseyez-vous. Nous allons commencer votre premier entretien professionnel. Cela fait 10 mois que vous êtes chez nous et vous êtes déjà une vendeuse compétente. J'ai regardé vos premiers résultats de vente et je dois vous féliciter pour les progrès depuis que vous êtes arrivée. Vous avez montré que vous avez le sens des responsabilités, vous avez augmenté peu à peu vos performances et les clients sont satisfaits avec vous. Bravo, continuez comme ça parce que nous sommes déjà très contents de vous ! À la fin de l'année, si vous le souhaitez, nous pourrons vous proposer une promotion comme chef des ventes. N'hésitez pas alors à venir nous voir pour qu'on en discute. Est-ce que vous voulez ajouter quelque chose ?

Activité 13, p.19 `PISTE 18`

Salut, ça va ? Tu a vu ma nouvelle coiffure ? Écoute, j'ai trouvé un petit salon de coiffure pas loin de chez moi qui vient de s'ouvrir. Le salon s'appelle Hair Plus, il est joli et ce n'est pas cher. La coiffeuse Alexandra est vraiment sympa et elle m'a raconté un peu sa vie. Figure-toi qu'elle était professeure dans une école avant mais on lui a proposé un nouveau poste à 100 km d'ici. Alors, franchement, elle a dit stop mais elle n'avait pas d'autre qualification. C'est pourquoi elle a décidé de préparer un diplôme professionnel pour ouvrir son commerce dans le quartier qu'elle adore. C'est vraiment courageux et elle a investi tout son argent dans le salon. C'est vrai, ce n'est pas facile de commencer une nouvelle vie professionnelle ! Elle doit maintenant travailler 6 jours par semaine pour gagner un peu d'argent. Elle est très contente c'est sûr, mais c'est dur. La pauvre ! Je la comprends !

Activité 14, p.19 `PISTE 19`

Chères habitantes, chers habitants, je vous remercie tout d'abord d'être venus si nombreux à notre petite réunion. En qualité de président de notre association, je voudrais vous communiquer la décision de la préfecture. Vous savez, il y a un mois, nous avons accueilli 12 familles étrangères qui étaient en grande difficulté et nous avons trouvé des logements convenables, des vêtements et de la nourriture pour les enfants, les parents et tous les adultes. J'ai alors envoyé une lettre officielle à la préfecture et j'espérais que l'administration régionale les aide et trouve une solution sérieuse pour leur avenir ici. Mais voilà, je suis vraiment déçu de vous lire la réponse négative de la préfecture. Malheureusement, ces familles doivent se débrouiller toutes seules et c'est la solidarité de nous tous qui devra continuer. Quel dommage ! Cependant, nous souhaitons que ces familles restent ici dans notre ville parce que ces gens sont une chance pour nous toutes et tous. Merci de votre générosité et de votre solidarité et continuons notre engagement !

Activité 15, p.20 `PISTE 20`

– Alors que penses-tu, Morgane, de la nouvelle organisation du travail ?
– Ça me paraît une bonne idée de pouvoir choisir l'heure d'arrivée au bureau et l'heure de départ. Bon, il faut faire les huit heures par jour mais c'est plus souple. Pour moi, qui emmène mes enfants à l'école le matin, ce sera plus simple d'arriver après 9 heures. Après, je pense que le directeur a raison de demander une vraie pause déjeuner d'une heure à tout le monde, ce sera moins stressant. Le soir, je pourrai travailler plus tard parce que le bureau est plus tranquille et après 17 heures, le téléphone ne sonne plus. Oui, c'est une excellente organisation pour moi.

Activité 16, p.20 `PISTE 21`

– Bonsoir, chères auditrices, chers auditeurs, bienvenue à notre émission « On en discute » sur Radio Verte. Cette année, les prochaines vacances scolaires vont donc durer trois semaines au lieu des 15 jours habituels. C'est nouveau et nous voudrions savoir comment les parents vont organiser les nouvelles vacances de leurs enfants et si cette période de pause plus longue les angoisse. Nous avons déjà un auditeur en ligne. Allô, comment vous appelez-vous et d'où êtes-vous ?
– Bonsoir, merci Laurence, de prendre mon appel. Je m'appelle Éric et je viens de Toulouse. Alors moi, je trouve que cette durée de vacances pose un vrai problème. Je travaille dans un restaurant et je ne suis pas d'accord avec cette nouvelle mesure. Qu'est-ce que je vais faire avec mes deux enfants ? Trois semaines à ne rien faire à la maison ou les passer chez les grands-parents ? Non, c'est inacceptable de proposer ça si vite, on n'a pas eu le temps de se préparer et de préparer toute la famille. C'est une honte d'oublier que les parents travaillent ! Moi, je n'ai pas trois semaines de loisirs pour m'occuper de mes enfants. Je suis vraiment contre.

Activité 17, p.21 `PISTE 22`

– Tu sais ce qu'on m'a demandé à mon travail ? « Monsieur Duroc, vous allez passer trois jours sur notre stand au salon de l'agriculture ». Mais c'est nul ! Du vendredi au dimanche, tu imagines ! Je vais devoir être là dès 5 heures du matin pour nourrir et nettoyer les vaches puis recevoir tout seul le public toute la journée, des familles, des enfants, des vieux, des jeunes, je suis déjà fatigué avant de commencer. Je n'ai vraiment pas envie. Et dimanche soir, il va falloir tout démonter et ranger. Après, avec les collègues, on devra transporter le matériel et les animaux une partie de la nuit pour retourner à la ferme. Non, c'est bien pour personne. Et tu crois que ce salon va profiter à notre économie ? Pas du tout ! Je vais me plaindre au directeur de la ferme parce que je ne veux pas travailler en continu pendant ces trois jours.

Activité 18, p.21 PISTE 23

– J'arrive de chez le banquier, c'est la catastrophe. Il m'a dit « Monsieur Figoli, votre restaurant n'est plus rentable, vous n'avez pas assez de clients pour payer le personnel, les produits et le loyer du restaurant ! » Bref, il faut gagner plus d'argent. Et tu connais sa solution ? Aujourd'hui, la France est le pays où on mange le plus de pizzas au monde, alors la bonne idée du banquier c'est… de changer mon restaurant en pizzeria. Alors, là, je regrette. Je suis cuisinier, pas vendeur de plats italiens ! Je refuse de gagner de l'argent dans un commerce qui ne m'intéresse pas. Donc j'ai refusé son idée et je continue mon activité !

Activité 19, p.22 PISTE 24

Mais qu'est-ce que tu me racontes, Karine ? On est allés ce matin au musée et sur la porte il y avait écrit « Fermeture exceptionnelle ce jour ». On était vraiment déçus. Alors on a décidé de faire une balade dans la vieille ville, c'était très beau et en fin de matinée, on a découvert une église très jolie. On est rentrés dans le bâtiment et on a admiré les sculptures. À midi, on a trouvé un petit resto très sympa et on a goûté à la spécialité régionale. Excellent ! Plus tard, on a fait un peu les magasins de vêtements, je me suis acheté un chapeau et en début de soirée, on est repassés devant le musée qui était fermé bien sûr. Alors, tu me dis que toi Karine, tu l'as visité aujourd'hui, c'est bizarre… Ah, mais je comprends : l'expression « ce jour », c'était peut-être pour hier ou pour avant-hier et le musée a oublié le panneau sur la porte, voilà !

Activité 20, p.22 PISTE 25

Au milieu de la nuit de dimanche à lundi, Martine, une habitante de la ville de Calais, a eu la surprise de trouver un homme devant sa fenêtre qui essayait de l'ouvrir. L'homme a trouvé la mauvaise excuse de dire qu'il s'était trompé de maison. Martine ne l'a pas cru mais n'a rien dit. Elle a alors commencé une conversation très sympa avec lui et en même temps, elle a envoyé un message à la police très discrètement. L'homme très confiant est donc resté à discuter. Quelques minutes plus tard, la police est arrivée tranquillement et l'a invité à venir avec eux. Bravo, Martine, pour votre calme et votre stratégie. Le voleur est maintenant entre les mains de la police.

Activité 21, p.23 PISTE 26

Et maintenant la page Loisirs de votre week-end : une vague de solidarité arrive bientôt dans les piscines de France. Une semaine avant la Journée mondiale de l'eau qui se déroule le 22 mars de chaque année, différents partenaires comme les villes, les entreprises de production d'énergie ou les associations de développement durable vont organiser samedi prochain la Nuit de l'eau. Cette année encore, pour la 9e année, deux cents piscines et centres aquatiques ouvriront leurs portes de 18 heures à minuit pour accueillir les visiteurs. L'objectif de ce rendez-vous reste le même : une opération exceptionnelle qui permettra de financer des actions pour que la population mondiale puisse avoir accès à une eau propre et potable. C'est l'affaire de tous et c'est aussi une initiative de santé publique mondiale. Alors, pensez à prendre un bon bain samedi prochain à la piscine de votre ville ! Un bon bain de solidarité vous attend !

Activité 22, p.23 PISTE 27

– Aujourd'hui les enfants passent tout leur temps devant la télévision, la tablette ou le téléphone portable. Comment les empêcher de regarder tous ces écrans ? C'est notre pédiatre de l'émission, Docteur Patrick Henry, qui est invité pour nous donner quelques conseils, bonjour Docteur.
– Bonjour Estelle. Selon l'enquête « Junior connecté », les 13-19 ans passeraient près de 30 heures par semaine devant les images électroniques. Des chiffres en augmentation qui montrent que ce comportement fait partie du quotidien des jeunes. Au début de l'adolescence, les risques apparaissent mais Internet peut jouer aussi un rôle important pour leur intégration sociale. Les parents doivent alors régulièrement aller avec leur enfant explorer les jeux qui l'intéressent et voir comment il utilise Internet. Chers parents, demandez-lui de vous montrer les sites, les blogs ou les jeux vidéos qu'il regarde. Vous êtes là également pour donner des règles. Bien sûr, les règles sont rarement respectées et Isabelle, par exemple, a retrouvé sa fille de 13 ans en train d'envoyer des SMS à 23 h. Elle a réagi très vite : portable interdit jusqu'aux vacances ! Vous devez proposer alors ces règles ou ces punitions pour une durée précise, une semaine ou un mois par exemple, et elles progresseront en fonction de l'amélioration des résultats et du comportement de votre jeune.

Activité 23, p.24 PISTE 28

– Chère Pauline, nous sommes très heureux de vous accueillir, vous, la championne de surf. Mais dites-moi, les médias parlent de vous davantage pour votre physique très agréable que vos performances. La plage, la mer plutôt que le sport. Ça ne vous dérange pas ?
– Si, bien sûr. Je peux permettre à certains journalistes de me poser des questions plus personnelles, sur ma vie, sur mon quotidien ou mon passé, mais je veux qu'on parle de mon sport et je fais très attention aux photos, par exemple, qu'on trouve sur les réseaux sociaux. Je comprends que les médias cherchent à vendre plus, à intéresser leurs lectrices et surtout leurs lecteurs mais jamais on ne doit oublier que nous sommes avant tout des femmes professionnelles du sport. Notre génération de surfeuses est encore jeune et on ne peut pas encore comparer les performances des hommes et des femmes. Mais je ne suis pas obligée d'accepter qu'on nous regarde comme des jolies filles à la plage. Et, si on me demande d'utiliser mon image pour des publicités ou pour des vidéos qui oublient nos compétences sportives, alors je dis non. On peut faire des photos et du sport de manière intelligente.

La vie d'une sportive n'est pas idéale, il faut travailler pour réussir et le public doit réussir à le comprendre.

Activité 24, p.25 PISTE 29

Nous avons discuté du plaisir et de l'intérêt des voyages mais il faut aussi parler aujourd'hui des règles nécessaires et obligatoires à suivre pour un voyage international. Tout d'abord, je vous rappelle qu'un passeport valable est nécessaire et, pour beaucoup de pays, le passeport doit encore être valable 6 mois après votre retour ! Attention, vous devez vous informer de l'obligation d'avoir un visa ou non. Vous ne pourrez pas entrer dans le pays si vous n'avez pas le visa obligatoire. Parfois, on a la possibilité de l'acheter à l'aéroport à l'arrivée, il faut penser à cette question avant le départ. Encore une chose très importante : les pays peuvent avoir des conditions culturelles et politiques qui sont différentes de votre quotidien mais que vous devez respecter. Par exemple, il sera interdit de boire de l'alcool ou de visiter certaines régions. N'oubliez pas non plus que la question médicale est importante : vous devez quelquefois prendre des médicaments ou faire un vaccin avant de partir pour éviter les maladies graves. Heureusement, il existe pour chaque pays un site officiel d'informations pour préparer son voyage et je vous invite à regarder les dernières informations publiées juste avant le départ pour profiter ensuite vraiment du voyage !

Activité 25, p.25 PISTE 30

– Bon, Quentin, on descend ici, je suis sûr du nom de l'arrêt parce qu'il a le même nom que l'adresse de la banque : Arrêt Manuel parce que c'est la rue Manuel. Alors, regardons sur le plan de quartier : rue Manuel, rue Manuel... ? Oh, mais je ne vois pas de rue Manuel. C'est étrange !
– Julie, attends, tu as un document de la banque avec l'adresse ? Alors, regarde parce que, là, c'est évident qu'il n'y a pas de rue Manuel.
– Tu peux me faire confiance, enfin ! Bon, où est ce document ? Ah, le voilà. La banque se trouve donc rue... Emmanuel ! Non, c'est pas possible, j'étais certaine de l'adresse. Il faut maintenant reprendre le bus car la rue Emmanuel n'est absolument pas dans ce quartier.

Activité 26, p.26 PISTE 31

– Alors Kévin, quelle est ta proposition pour faire la Fête du quartier avec les voisins ?
– Voilà ma proposition : en juin prochain, il y a plusieurs dates possibles pour organiser cette fête. J'ai réfléchi à des possibilités et je voudrais vous les présenter. D'abord, je suis sûr que vous êtes d'accord avec moi : il faut que cela se passe un samedi et non dans la semaine parce que beaucoup d'entre vous travaillent. Donc si je regarde le calendrier de cette année, il y a trois dates intéressantes en juin : une fête religieuse avec un lundi férié, la fête de l'été qui est aussi la Fête de la musique en France et... mon anniversaire ! Je ne suis pas trop d'accord avec la première date parce que quelques voisins peuvent être absents. Ensuite je me demande si mon anniversaire intéresse vraiment tout le quartier, donc je ne sais pas trop. Enfin, je sais que la Fête de la musique est une tradition pour sortir dans toute la ville, faire de la musique et faire de nouvelles rencontres. Bref, avant tout, nous avons

besoin de réfléchir quelques minutes et après on pourrait voter pour la date qui plaît à la majorité. D'accord ?

Activité 27, p.26 PISTE 32

Tiens, hier, un ami m'a parlé de son groupe de musique préféré : « Ça s'appelle Nord, écoute ça absolument, Marjorie, c'est de la super chanson française ! ». Bon, je décide bien sûr d'écouter ça. Je tape le mot « Nord » sur un moteur de recherche sur Internet et je me retrouve avec 540 millions de résultats ! Après sept pages de recherche sur Internet, je n'ai trouvé aucun artiste avec ce nom. C'est probable que ce groupe musical existe mais impossible à trouver ou alors il faut passer des heures à chercher pour y arriver. Et il paraît qu'il y a beaucoup de nouveaux artistes dans cette situation : et oui, la tendance aujourd'hui est de choisir des noms comme La Femme, Jaune, Sage ou des lettres comme M, L, mais ils sont très difficiles à trouver sur Internet. J'imagine que les groupes pourraient changer de nom mais ce serait dommage et trop tard s'ils commencent à avoir du succès. Les débuts d'un artiste sont toujours très compliqués mais le chanteur M, qui est très populaire aujourd'hui, est l'exemple que rien n'est impossible !

Activité 28, p.27 PISTE 33

– Dis, Robin, tu as vu ce projet génial de garderie pour petits enfants à côté de Montpellier ? Tu en as entendu parler ?
– Oui, la ville a prévu de construire une garderie pour enfants de moins 3 ans dans une maison de retraite, c'est ça ? L'initiative me semble vraiment intéressante et c'est probablement la solution de demain pour notre société qui est de plus en plus égoïste. Ce projet va permettre aux personnes âgées d'avoir des contacts quotidiens avec les petits enfants et il est probable que les enfants seront très heureux d'avoir des grands-parents avec eux. En plus, je suis certain que les relations entre petits et plus âgés vont apporter une joie de vivre dans cette résidence pour personnes âgées.
– Et tu sais ce qu'ils vont avoir comme activités ensemble ?
– Il est aussi prévu dans l'année d'organiser des activités communes : je pense certainement que faire de la cuisine ou de la musique ensemble va profiter à chacun. Les enfants vont apprendre plein de choses et les personnes âgées vont retrouver une atmosphère familiale très joyeuse. J'imagine et j'espère que ce projet connaîtra très vite d'autres grands succès dans beaucoup de villes !

S'ENTRAÎNER

Exercice 1, p.28 PISTE 34

– Alors Christophe, l'année prochaine, c'est l'année de tes 40 ans ! Tu vas organiser une grande fête ?
– Écoute Sophie, pour mes 30 ans j'avais invité mes parents, mes frères et mes enfants au restaurant dans un petit village à 30 km d'ici, c'était super. Il faisait tellement beau qu'on a mangé en terrasse, tout le monde a adoré.
– Et tes amis n'étaient même pas là, on était un peu déçus.
– Arrête Sophie ! J'espère que tu te souviens de mes 35 ans, non ? On a fait un très grand repas chez moi le samedi soir. Tous mes amis sont venus, et toi aussi. Il

y avait 70 personnes. Tu te rappelles, on a cuisiné tous ensemble, et on a même joué de la musique et dansé ! C'est un très bon souvenir.

– Alors, pour tes 40 ans, on peut faire une fête avec ta famille et tes amis ensemble dans une grande salle de la ville par exemple.

– Mon idée est un peu différente : je vais organiser plusieurs petits dîners de 4 ou 5 amis pendant six mois.

– Pardon ? Mais c'est ridicule, on ne va pas venir 10 fois chez toi pour ton anniversaire ?

– Non, tu n'as pas compris : je vais contacter à chaque fois un petit groupe d'amis différents. Je vais les inviter ensemble à dîner à la maison. Ce sera plus tranquille et plus personnel et ils pourront vraiment discuter ensemble. Je vais organiser ces repas une ou deux fois par mois entre janvier et juin prochain.

– Intéressant ! C'est vrai que dans les grandes fêtes, on rencontre beaucoup d'amis mais on ne se connaît pas vraiment. Christophe, c'est parfait. Et moi, tu m'inviteras avec quel groupe ?

– Tu verras bien, Sophie. C'est une surprise !

Exercice 2, p.29 PISTE 35

– Alors, ça vous a plu cette réunion de parents ?

– Oui, faire une réunion pour nous demander de proposer des activités du soir et les animer, c'est une idée admirable. J'étais heureuse d'entendre la directrice dire que l'école est un lieu pour apprendre et aussi pour faire des choses ensemble.

– Hum… seulement si les cours sont prioritaires. Voilà pourquoi j'ai proposé d'animer un atelier d'expression orale pour apprendre à parler devant ses camarades, devant les adultes, etc. Et c'est mon métier parce que je travaille à la télé comme journaliste.

– Si vous voulez, mais ces activités ne sont pas pour faire encore la classe ou remplacer les profs.

– Peut-être… Et vous, qu'est-ce que vous proposez ? Un voyage touristique, je crois, non ?

– Pas tout à fait. Les élèves vont monter eux-mêmes un projet d'échange avec une école dans un pays voisin. D'abord, ils vont choisir le pays et la région, puis on va décider quand et combien de temps on y va et quand les élèves partenaires vont venir chez nous. Après, je vais les aider avec les transports et comment trouver l'argent. Bref, un vrai projet imaginé et fabriqué par les élèves !

– Mais cette activité demande des connaissances professionnelles, c'est pas pour les jeunes de 12-15 ans !

– Pas du tout ! Les élèves sont en général très compétents et enthousiastes quand ils sont responsables de leur propre projet

– Bien, je suis impatient que les activités commencent la semaine prochaine. À bientôt !

Exercice 3, p.30 PISTE 36

– Salut Quentin ! Merci pour ton aide hier, mon déménagement n'était pas simple mais on y est arrivé.

– Salut Marie. Ce matin, j'ai mal aux épaules et au dos mais j'ai dormi cette nuit comme un bébé. C'est vrai qu'hier, tu n'avais pas vraiment bien organisé le transport des cartons et des meubles. Ça m'a énervé le matin quand on a dû attendre le camion pendant une heure. Et quand après, on a découvert qu'il fallait tout monter au 3e étage sans ascenseur, alors là j'étais un peu désespéré !

– Écoute, les amis se sont bien entendus et chacun a aidé. À 14 heures, tout était arrivé dans mon petit appartement et l'après-midi on a pu ouvrir presque tous les cartons. C'était aussi une très bonne idée de Gabriel de commencer par ranger la vaisselle dans la cuisine. Le but était de faire de la place et de sortir les cartons de l'appartement.

– Bien sûr, j'imagine que tu vas prendre un peu de temps pour tout installer. Je suis impatient de savoir quand on fait la fête pour ce nouvel appartement !

– Oh là, attends un peu, il faut encore la connexion internet. Ça m'inquiète un peu parce que l'opérateur ne peut pas passer avant trois semaines. Je ne sais pas comment je vais faire sans portable et sans tablette pour écouter de la musique !

– C'est pas grave, on apportera nos CD… comme avant.

Exercice 4, p.31 PISTE 37

– Alors, Lucie, qu'est-ce que tu fais cet été pour les vacances ? Tu viens avec nous ? On voudrait faire le tour du Québec, mais à vélo !

– Très bonne idée, Enzo ! Mais pour le moment, je cherche un job d'été pour un ou deux mois. Pendant mes études, je n'ai pas le temps de travailler et là, je ne vois pas comment je pourrai payer mes prochaines vacances.

– Et tu cherches un job dans quel secteur ? Il paraît qu'aujourd'hui c'est un peu la crise, c'est très compliqué. Et en plus, tu n'as même pas de métier !

– Non, mais je ne suis pas au chômage, Enzo, je suis étudiante. Alors il existe des bureaux de placement qui proposent des postes sans compétence spéciale pour les entreprises qui ont un salarié malade ou en congé. Comme je suis dynamique et souriante, ça suffit pour un petit boulot.

– Ah oui, et tu as des idées ? Tu as vu une offre intéressante ?

– Oui, justement, hier, je suis passée devant la vitrine d'un bureau et j'ai lu les annonces. Une entreprise de meubles cherche un ou une standardiste pour 6 semaines cet été. J'imagine que je peux faire ça.

– Tu crois ça, Lucie ? Et tu dois faire quel travail ?

– Écoute, je dois répondre au téléphone et recevoir les clients. Et sur l'ordinateur, je note toutes les informations et les opérations de banque. C'est tout ! Je suis sûre que je suis capable.

– Toute la journée, faire ça, ça ne me plairait pas du tout. Bon, j'espère que tu trouveras autre chose !

– Il faut bien commencer à gagner sa vie, non ?

Exercice 5, p.32 PISTE 38

– Chères auditrices, chers auditeurs, bonjour. Nous sommes aujourd'hui installés à la direction régionale du développement des entreprises et nous voudrions parler des nouvelles habitudes des consommateurs. Merci Christine Trotigny de nous recevoir, et pour commencer, quel travail occupez-vous ?

– Bonjour et bienvenue ! Je suis actuellement en charge de l'économie numérique des entreprises. Vous savez qu'aujourd'hui 78 % des Français sont connectés et que la moitié a un compte sur un réseau social.

– Vous voulez dire que c'est la fin de l'économie traditionnelle et que les Français achètent tout en ligne maintenant ?

– Pas exactement. Il faut savoir qu'à la fin de l'année

dernière, 35 % des familles avaient déjà une tablette numérique et chaque année, la situation progresse très vite. Cela a pour conséquence que toute la famille, parents, enfants, grands-parents, s'habitue peu à peu à ces connexions rapides et à distance. Mais pour quoi faire, vous allez dire ? Et bien, d'abord les personnes s'informent sur les produits, les prix avant de se déplacer. Ensuite, quand ils sont dans un lieu commercial, ils se connectent pour comparer avec d'autres produits. Enfin, les personnes veulent pouvoir exprimer leur satisfaction, en ligne et tout de suite.

– Très intéressant, mais quel rôle jouez-vous exactement ?

– En fait, je prépare la révolution numérique avec les entreprises. Et ce n'est pas facile ! Il faut expliquer aux chefs d'entreprise, aux directeurs d'usine qu'ils doivent changer leur stratégie pour s'adapter aux nouvelles relations avec les clients d'aujourd'hui et de demain. Le « e-commerce » va prendre une place de plus en plus grande et je suis là pour aider l'économie de la région à se développer.

– Merci Christine Trotigny de vos explications et excellente réussite !

Exercice 6, p.33 [PISTE 39]

– Bonjour Madame Pindrot. Vous avez souhaité me rencontrer pour vous aider à financer l'ouverture de votre magasin. Je vous écoute.

– Bonjour. Voilà, j'ai passé quatre années en Angleterre et en Écosse, j'ai travaillé dans des restaurants et des bars et, à mon retour, l'année dernière, j'ai passé un Master en communication interculturelle. Aujourd'hui, je voudrais être indépendante et ouvrir mon commerce.

– Est-ce que vous pouvez me présenter votre idée : quelle sorte de magasin ? pour qui ? pour faire quoi ?

– Voilà, j'ai découvert l'habitude de boire du thé toute la journée chez les Anglais et mon idée est d'importer cette habitude en France : je veux ouvrir un bar à thé dans notre ville.

– Vous voulez dire un salon de thé ! Mais je suis un peu déçu parce que ça existe depuis très longtemps chez nous.

– Non, un « bar à thé », c'est plus jeune, plus moderne. Je suis sûre que la possibilité de trouver un très grand choix de thés de différents pays n'existe pas encore dans notre région. Et mon commerce doit avoir une atmosphère artistique et confortable.

– Artistique, que voulez-vous dire ?

– Dans ce lieu, je souhaite exposer des objets ou des peintures d'artistes de la ville ou de la région. Et on doit pouvoir boire et aussi acheter du thé pour la maison.

– Je me demande si un lieu où on boit, où on achète du thé et qu'on visite comme une galerie, ce n'est pas un peu trop compliqué pour une stratégie commerciale…

– Pas du tout, les gens aujourd'hui veulent profiter de plusieurs choses en même temps. Et en plus, je veux installer des connexions internet gratuites pour que les plus jeunes se sentent bien aussi.

– Écoutez, je suis plutôt confiant parce que vous êtes enthousiaste. Mais maintenant parlons d'argent !

– Ah, là, c'est une autre histoire…

Exercice 7, p.34 [PISTE 40]

– Alors, Isabelle, quand vous parlez de proposer une nouvelle idée de marché, on pense tout de suite au commerce ?

– Effectivement, mais pour nous, notre idée de marché gratuit repose sur une idée d'échange, de partage. En fait, il n'y a aucun échange d'argent, c'est avant tout l'idée de donner aux autres. Les gens qui n'ont plus besoin de leurs affaires les apportent et les offrent à des gens qui trouvent là leur bonheur. Pour cet échange, les relations sont différentes et les gens sont heureux de pouvoir se parler car on ne discute pas d'argent. Et c'est l'objectif numéro un de ce marché : on veut que les gens fassent connaissance et qu'ils discutent ensemble.

– J'imagine que ce n'est pas par hasard que cela se passe avant les fêtes de fin d'année ?

– Alors, on en avait déjà fait un à la fin du mois d'août mais c'est vrai qu'avant les fêtes, les gens ont plus tendance à consommer. Alors on aimerait que ce soit davantage une période de solidarité. C'est aussi une période qui est difficile pour certaines personnes qui n'ont pas de famille ou qui ont des problèmes financiers. Tout cela donne de l'intérêt à notre initiative.

– Vous vous adressez à quel public ?

– À tout le monde. Mais pour cette fois, on a plus pensé aux personnes qui ont peu d'argent.

– Vous m'avez dit que vous l'organisiez pour la deuxième fois dans cette partie de la Suisse francophone. Vous voulez lancer une nouvelle tradition ?

– D'abord, vous savez que nous sommes tous là bénévolement, sans être payés, alors il faut que ça reste un plaisir à organiser. On l'organisera 2 à 3 fois par année en fonction des possibilités de lieux que la ville nous prêtera.

– Qu'est-ce qu'il faut pour organiser un marché gratuit ?

– Il faut avoir l'autorisation de la ville et de la police. Et les responsables de la ville ont été tout de suite d'accord. On était même étonnés de voir qu'ils étaient très ouverts à cette idée. Sinon, il faut aussi faire beaucoup de travail sur l'information. Par exemple, on répond aux messages des gens qui posent beaucoup de questions. Après, il faut aussi enregistrer les inscriptions. Enfin, pour organiser un marché gratuit, on fait 3 ou 4 réunions d'organisation avant.

– Donc il faut s'inscrire pour avoir des affaires à donner ?

– Oui, parce qu'on veut savoir combien de personnes vont venir pour répondre au mieux à la demande et réserver les places dans les rues à la grande majorité des personnes intéressées. Avec le succès, on devient très compétents.

Exercice 8, p.36 [PISTE 41]

Bienvenue dans notre émission « Des femmes et des hommes ».

Dans le monde, un homme sur deux est une femme. Donc, il devrait y avoir autant de femmes que d'hommes chefs d'État, ministres, chefs d'entreprise, académiciens ou pilotes d'avion. Pourtant, ce n'est toujours pas le cas et ce n'est pas nouveau. Bien sûr, les statistiques ont un peu progressé mais l'égalité entre hommes et femmes reste encore l'exception et non pas la règle.

Alors aujourd'hui, quelle est la situation réelle de l'égalité des sexes ? Notre émission porte son regard sur ces femmes qui veulent le pouvoir mais qui ne sont pas toujours au pouvoir. Bien sûr, en France, on se souvient de Marie Curie et de Coco Chanel, on sait que le Brésil a eu une présidente Dilma Roussef, et que l'Allemagne a choisi une cheffe de gouvernement, Angela Merkel. Ces noms donnent une impression du succès des femmes mais la réalité est très différente. Et les statistiques du monde nous rappellent que la situation n'est pas très belle !

C'est pourquoi, à Genève, aux Nations Unies, on rappelle qu'en juillet 2010, une nouvelle agence ONU Femmes est née pour se battre contre les violences faites aux femmes dans le monde. En France, tous les ans, on organise le « Sommet économique des femmes ». C'est un forum qui réunit plus de 1 200 femmes de 88 pays qui a pour objectif de présenter la façon dont les femmes voient les sujets économiques de nos sociétés. À propos, on a découvert qu'en France il n'y avait pas une seule femme à la présidence d'une société du groupe des 40 plus grosses entreprises françaises… Des études internationales montrent que, généralement, il existe toujours et encore une différence de 20 % entre le salaire des hommes et celui des femmes. Et la loi sur l'égalité de salaires a été signée en 1972 en France, mais… il a fallu attendre 2001 pour réellement voir des actions positives en politique et dans les entreprises. Allez, dernière question intéressante : dans quel parlement de quel pays, y a-t-il le plus de femmes ? Et bien, c'est au Rwanda avec 48,8 % exactement de femmes, presque l'égalité politique donc. En Suisse, c'est environ 25 % et en France, 20 %… Et si le continent africain, qui est déjà l'avenir de notre francophonie, devenait aussi notre modèle d'égalité des sexes, ce serait un bel espoir !

Exercice 9, p.37 PISTE 42

– Le palais des Beaux-Arts de Lille propose pour la troisième fois un événement qu'il appelle *Open Museum*. Au premier semestre 2016, le musée a donc confié le lieu à Zep, l'artiste suisse très populaire en France pour ses bandes dessinées amusantes, pour attirer de nouveaux publics. Quand le palais des Beaux-Arts de Lille a proposé au dessinateur la liberté d'utiliser tout le musée pour une exposition personnelle, il a d'abord eu peur devant l'importance et la richesse de la collection. Et la question a été de savoir comment son dessin de BD, grand comme une image d'album, pourrait être à côté de peintures anciennes immenses ! Avec ses vingt vidéos où il montre comment il dessine et crée un personnage et soixante-cinq dessins originaux, Zep s'amuse à faire dialoguer la BD avec des œuvres d'art classiques. Alors Zep, pourquoi avoir dit oui à l'Open Museum ?

– Pour moi, c'était d'abord une façon de continuer à travailler, et de dire mon amour du dessin et du crayon. J'avais envie qu'on voie des dessins et des vidéos qui montrent que la main est essentielle dans l'art et dans la peinture. Tous les tableaux anciens, célèbres ou non, qui sont présentés dans ce musée, ont été faits par des mains, donc par des personnes qui travaillaient pendant une semaine, des mois ou un an pour arriver à réaliser quelque chose que l'on regarde encore aujourd'hui. Donc, je voulais que mes dessins actuels permettent aux jeunes générations de venir voir et de comprendre que l'art d'aujourd'hui est la conséquence et la suite logique d'une longue tradition.

– On nous a dit que vous détestiez les musées quand vous étiez enfant ?

– C'est vrai. Pour moi, les musées étaient pour exposer des gens morts et voir avec très souvent des images tristes, de mort, des scènes horribles et violentes. Quand j'ai fait ensuite des études d'art, je n'aimais pas aller au musée avec des critiques d'art qui passaient des heures à expliquer et à analyser un seul tableau. C'est seulement quand je suis devenu papa que j'ai commencé à aimer les musées. J'ai accompagné mes enfants dans des musées où on choisissait un tableau, une œuvre qui me plaisait vraiment. Et là, je leur racontais une petite histoire ou une anecdote sur le tableau ou sur l'artiste. Finalement, j'ai retrouvé le goût et le plaisir d'y aller.

ÉPREUVE BLANCHE 1 OPTION TOUT PUBLIC

Compréhension de l'oral PISTE 43

DELF niveau B1 du Cadre européen commun de référence pour les langues. Épreuve orale collective.

Vous allez entendre 3 documents sonores, correspondant à 3 exercices.

Pour le premier et le deuxième document, vous aurez :
– 30 secondes pour lire les questions ;
– une première écoute, puis 30 secondes de pause pour commencer à répondre aux questions ;
– une seconde écoute, puis 1 minute de pause pour compléter vos réponses.

Pour répondre aux questions, cochez la bonne réponse ou écrivez l'information demandée.

Exercice 1, p.140

Lisez les questions, écoutez le document puis répondez.
[Pause de 30 secondes]

Première écoute

– Papa, j'ai quelque chose d'important à te dire. J'ai décidé d'abandonner mes études en informatique.

– Comment ? Mais Romain, pourquoi ? Le premier semestre a commencé il y a 2 mois et tu semblais content de tes cours. Je ne comprends pas.

– Oui, c'est vrai. Mais le niveau est beaucoup trop élevé. Je sais que je vais échouer.

– Il ne faut pas t'inquiéter pour ça. Tu as toujours très bien réussi tes études. Je suis sûr que si tu étudies sérieusement, tu obtiendras de très bons résultats à tes examens. Si tu veux, nous pouvons organiser, avec un professeur, des cours à la maison pour t'aider à progresser.

– Je te remercie, Papa. C'est très généreux de ta part. Je sais que Maman et toi, vous êtes prêts à dépenser beaucoup d'argent pour mes études, mais je ne veux pas vous décevoir. Tu sais, je n'ai pas perdu mon temps pendant ces deux mois à l'université car j'ai compris ce que je voulais faire. L'année prochaine, je vais suivre des études de commerce.

– Et qu'est-ce que tu vas faire en attendant ?

– J'ai déjà trouvé un travail dans un restaurant. C'est un contrat à temps partiel de 20 heures par semaine. C'est parfait car j'aurai du temps libre et avec l'argent que je gagnerai, je pourrai payer des cours privés pour continuer à étudier.

– Je vois que ta décision est bien réfléchie, mais je préfère qu'on en discute ce soir avec ta mère.

– Bien sûr !

[Pause de 30 secondes]

Seconde écoute

[Pause d'une minute]

Exercice 2, p.141 `PISTE 44`

Lisez les questions, écoutez le document puis répondez.
[Pause de 30 secondes]

Première écoute

D'après une enquête réalisée auprès de 13 000 salariés, la France est le pays du monde où la candidature spontanée a le plus de succès. Un quart des candidats trouve cette méthode efficace. Il s'agit d'envoyer une lettre de motivation et un CV à une entreprise qui n'a pas publié d'offre d'emploi. Les chefs d'entreprise, surtout ceux qui dirigent des petites sociétés, pensent comme eux. Cette enquête montre aussi que le réseau personnel – la famille, les amis – est plus efficace que la recherche sur Internet.

Pourtant, nous sommes en train de vivre une véritable révolution dans la recherche d'emploi. En fait, ce sont surtout les demandeurs d'emploi les plus âgés et les moins diplômés qui s'adressent à leurs relations personnelles. Les plus jeunes et les mieux diplômés utilisent plutôt Internet. Ils souhaitent que les entreprises soient modernes et qu'elles aient par exemple une page Facebook ou un compte Twitter. Ils veulent qu'elles communiquent les emplois disponibles sur des réseaux sociaux professionnels comme LinkedIn et Viadéo, voire qu'elles utilisent les sites de petites annonces comme Le Bon Coin.

Et d'ailleurs, tout récemment, une grande entreprise internationale a recruté de jeunes diplômés… sur Twitter ! Les candidats prenaient contact avec les salariés qui décrivaient leur métier et donnaient des conseils pour rejoindre l'entreprise. Aujourd'hui, ce système est réservé à très peu de personnes, mais demain, toutes les entreprises vont devoir recruter de cette façon. On organise déjà sa vie en quelques clics : loisirs, achats, rencontres personnelles. Pour faire ses courses, on va sur un site accueillant et facile d'accès et on reçoit notre commande en quelques heures. Et bien pour chercher du travail, ce sera la même chose. Les candidats pourront contacter les employeurs directement et être rapidement informés de leur décision. Il va falloir que les entreprises qui recrutent – et il y en a beaucoup – changent leurs habitudes pour s'adapter à cette nouvelle façon de proposer du travail car c'est comme ça qu'on permettra au marché de l'emploi de progresser !
[Pause de 30 secondes]

Seconde écoute
[Pause d'une minute]

Exercice 3, p.142 `PISTE 45`

Vous aurez une minute pour lire les questions ci-dessous. Puis vous entendrez une première fois un document sonore. Ensuite, vous aurez 3 minutes pour répondre aux questions. Vous écouterez une seconde fois l'enregistrement. Après la seconde écoute, vous aurez encore 2 minutes pour compléter vos réponses. Pour répondre aux questions, cochez la bonne réponse ou écrivez l'information demandée.

Lisez les questions, écoutez le document puis répondez.
[Pause d'une minute]

Première écoute

– D'après une étude de l'agence *OpinionWay*, pour la majorité des Français, acheter des biens de consommation n'est plus une priorité. On assisterait même au début d'un changement très fort. C'est ce que nous explique Frédéric Micheau, directeur des études chez *OpinionWay*.
– Quand on interroge les Français sur leur préférence entre, d'un côté, la propriété et, de l'autre, le fait d'utiliser uniquement les produits dont on a besoin, ils indiquent clairement préférer la seconde solution. Trois quarts des Français préféreraient aujourd'hui louer des objets plutôt que de les acheter.
– Quels sont les produits que les Français sont prêts à louer ?
– Essentiellement des produits électroménagers, hi-fi, multimédia et puis aussi des objets de nouvelles technologies comme des téléphones ou des tablettes, par exemple.
– Donc des produits qui évoluent rapidement.
– Oui, des produits qui ont une durée de vie très courte car leurs compétences technologiques deviennent vite limitées.
– Les entreprises s'adaptent et proposent de plus en plus des services de location. Pour le consommateur, c'est la certitude de toujours avoir un matériel en bon état. C'est un mode de consommation qui favorise la protection de l'environnement. En effet, le fait de louer plutôt que d'acheter un produit a pour conséquence de réduire la production d'objets et donc la pollution. Dans ces conditions, si les entreprises produisent moins, elles ont intérêt à produire mieux. Plus leurs produits seront utilisés longtemps, plus leur activité financière sera positive. Les produits seront faciles à entretenir, à réparer puis à recycler.
Cela rejoint les résultats de l'enquête d'*OpinionWay* qui montre aussi ce qui pousse les Français à faire des achats car tout ne peut pas être loué. Ils disent préférer des produits résistants et respectueux de l'environnement. Les produits très modernes ne les intéressent que s'ils sont sûrs de leur qualité. C'est la fin des produits jetables.
– Oui, on peut dire ça.
– C'est la fin des produits jetables, à bas prix. Avec les vélos en libre-service, comme les Vélib' à Paris, et les services de location de matériel, on a vu apparaître de nouvelles pratiques de consommation. On vend des déplacements à vélo sans vendre le vélo. Le consommateur n'est pas propriétaire de l'objet, il devient propriétaire de l'utilisation de cet objet. Il semblerait qu'une révolution soit désormais en marche.
[Pause de 3 minutes]

Seconde écoute
[Pause de 2 minutes]

L'épreuve de compréhension orale est terminée. Passez maintenant à l'épreuve de compréhension écrite.

ÉPREUVE BLANCHE 2
OPTION PROFESSIONNELLE

Compréhension de l'oral `PISTE 46`

DELF niveau B1 du *Cadre européen commun de référence pour les langues,* option professionnelle. Épreuve orale collective. Contexte professionnel : s'impliquer dans des tâches professionnelles.

À l'aide de documents de travail et en lien avec des équipes, vous accomplissez différentes missions professionnelles. Réalisez tous les exercices suivants.

Vous allez entendre 3 documents sonores, correspondant à 3 exercices.

Pour le premier et le deuxième document, vous aurez :
– 30 secondes pour lire les questions ;
– une première écoute, puis 30 secondes de pause pour commencer à répondre aux questions ;
– une seconde écoute, puis 1 minute de pause pour compléter vos réponses.

Pour répondre aux questions, cochez la bonne réponse ou écrivez l'information demandée.

Exercice 1, p.151

Vous travaillez dans une école primaire. Votre collègue accueille une étudiante en stage. Vous entendez leur conversation. Lisez les questions, écoutez le document puis répondez.

[Pause de 30 secondes]

Première écoute

– Bonjour Stella et bienvenue dans notre école primaire. Nous sommes très heureux de vous accueillir pour les six prochains mois.

– Merci beaucoup, Monsieur le directeur. Je suis ravie, moi, de commencer à travailler avec les enfants.

– Très bien, Stella. Vous savez ici, les enfants sont à l'école du matin 8 h 30 jusqu'au soir 16 h 30 et on a besoin d'un adulte pendant les pauses et pour les cours d'activités artistiques et sportives. C'est très important dans notre projet d'école.

– Avez-vous déjà un emploi du temps à me proposer parce que je suis aussi en formation le mercredi ?

– Bien sûr. D'abord, le lundi matin, je vous demande de venir à 8 h 15 dans la salle des professeurs pour prendre connaissance du programme de la semaine. Le lundi matin, vous prendrez les enfants de 6 ans. Ils sont en première année de primaire et ont besoin de jouer. Je compte donc sur vous pour qu'ils apprennent à s'amuser en groupe, ils pourront ainsi développer leur esprit d'équipe et leur solidarité. L'après-midi, vous vous occuperez des cours de musique pour les plus grands.

– Excusez-moi, quel âge ont les enfants les plus grands en primaire ?

– Ah, ils ont entre 10 et 11 ans donc ils doivent apprendre des chansons ou jouer d'un instrument de musique. À l'école, on a des guitares, des flûtes et un piano. Et il faudra prévoir avec eux le spectacle pour la fin de ce trimestre.

– Une fois par semaine seulement pour préparer un spectacle, ça ne me semble pas trop possible, non ?

– Ah oui, pardon, les plus grands auront musique trois après-midis par semaine : le lundi, le mardi et le jeudi. Le vendredi après-midi est réservé à toutes les classes pour les cours de gymnastique. Ce jour-là, je voudrais que vous organisiez des cours de danse pour deux classes de 20 élèves. Ah, le mardi matin et le jeudi matin, vous vous occuperez des activités d'arts plastiques comme le dessin, le bricolage, la sculpture. N'oubliez pas de commander le matériel nécessaire une fois par mois auprès de notre secrétaire, Madame Duroy. Dernière chose : tous les vendredis matin, il faudra écrire un petit rapport sur les activités proposées et sur les progrès de chaque enfant dans vos cours. C'est clair ?

– Très bien. Je vais maintenant me présenter aux professeurs.

[Pause de 30 secondes]

Seconde écoute

[Pause d'une minute]

Exercice 2, p.152 `PISTE 47`

Vous travaillez dans une grande entreprise. Vous écoutez le directeur du personnel présenter les nouvelles normes écologiques. Lisez les questions, écoutez le document puis répondez.

[Pause de 30 secondes]

Première écoute

Bonjour à toutes et à tous. Nous avons réuni le personnel ce matin pour vous présenter les nouvelles règles en matière d'hygiène, de sécurité et surtout le nouveau règlement écologique de l'entreprise. Le mois dernier, le parking a donc été fermé et aucune voiture ne peut plus circuler sur le terrain de l'entreprise. Nous avons décidé de construire un lieu pour les vélos avec une place réservée à chaque employé. Vous pourrez recevoir une prime mensuelle de déplacement « vélo » de 35 €. Pour cela, vous avez un formulaire à la réception que vous devrez remplir chaque mois pour obtenir votre place réservée. À partir d'aujourd'hui, le nombre de photocopies est contrôlé. Chaque copieur aura un compteur avec un code pour chacun de vous et nous afficherons les résultats tous les mois pour savoir qui aura consommé le moins de feuilles de papier. Le plus écologique d'entre vous recevra un bon d'achat dans un magasin de produits bio. Attention, nous demandons à chaque responsable de service de contrôler tous les soirs les ordinateurs et les lumières des bureaux. Il sera interdit de laisser fonctionner un appareil ou une lampe toute la nuit. Dernière chose : des poubelles sélectives seront installées à chaque étage et vous jetterez le papier, le verre, le plastique et les déchets de la nourriture dans 4 poubelles différentes. Enfin, chacun d'entre vous devra suivre une formation d'une journée obligatoire par an pour comprendre que l'avenir de la planète dépend de nous. Nous apprendrons les gestes écologiques et les nouveaux comportements comme apporter sa tasse au bureau et oublier les verres en plastique, réduire le chauffage en hiver à 19 degrés et utiliser au minimum la climatisation l'été, etc. Voilà, j'aimerais que tout le monde comprenne que ces règles sont nécessaires et que nous en sommes toutes et tous responsables. Merci de votre attention, excellente journée !

[Pause de 30 secondes]

Seconde écoute

[Pause d'une minute]

Exercice 3, p.153 `PISTE 48`

Vous faites un stage comme assistant dans un service de ressources humaines. Vous êtes avec une personne de ce service dans le bureau de direction. Vous entendez leur conversation.

Vous aurez une minute pour lire les questions ci-dessous. Puis vous entendrez une première fois un document sonore. Ensuite, vous aurez 3 minutes pour répondre aux questions. Vous écouterez une seconde fois l'enregistrement. Après la seconde écoute, vous aurez encore 2 minutes pour compléter vos réponses. Pour répondre aux questions, cochez la bonne réponse ou écrivez l'information demandée.

Lisez les questions, écoutez le document puis répondez.

[Pause d'une minute]

Première écoute

– Bonjour Madame Dewaele. Nous devons essayer de nous mettre d'accord sur les possibilités éventuelles de télétravail. Comme vous le savez, je vous rappelle que nous ne pourrons pas discuter d'un libre choix des salariés de travailler quand ils le veulent.

– Écoutez, Monsieur Martinez, la discussion commence mal ! Je représente les salariés et je ne peux pas accepter votre présentation du problème. Je vous rappelle que nous avons constaté ensemble que le personnel est très flexible et très engagé dans cette entreprise et qu'il a très bien compris qu'il faut parfois travailler davantage quand la demande des clients est forte. Mais les personnes ont aussi une vie privée et ça, vous ne pouvez pas l'oublier !

– Vous avez raison Madame Dewaele, j'apprécie parfaitement la compétence de tous les employés et leur capacité à répondre aux périodes de grosse activité. C'est pourquoi on pourrait imaginer qu'une partie du travail administratif pourrait se passer à la maison mais tout cela doit d'abord dépendre de notre accord.

– Voilà un premier point sur lequel nous sommes d'accord, Monsieur Martinez : le travail à la maison est donc possible et ce sont les conditions que nous devons discuter. Nous proposons que, sur une année, 10 % du temps de travail pourrait se faire à domicile. Le personnel est en grande majorité jeune et a donc souvent des familles avec de jeunes enfants. Nous ne pouvons pas exiger que tout le monde quitte son travail après 20 h pendant plusieurs semaines quand il y a une forte activité. Cela demande une organisation personnelle qui coûte aussi de l'argent aux salariés. Les équipes doivent pouvoir s'organiser entre elles et choisir qui peut travailler à la maison et à quelle période.

– Vous exagérez un peu ! Non, je suis d'accord avec le télétravail mais il faut calculer exactement ce que représente 10 % du temps total. Quand vous êtes chez vous devant votre ordinateur, vous n'êtes pas en contact direct avec la vie réelle de l'entreprise. De plus, une personne va vouloir traiter les dossiers le soir après 21 h, une autre va proposer de s'occuper d'un dossier le samedi matin. Bref, le travail choisi doit se réaliser dans des horaires communs à toutes et tous.

– Alors, je vous propose d'interroger les salariés pour connaître les moments où ils souhaitent être à la maison pour travailler. Ensuite, je vous proposerai un emploi du temps possible par équipe pour voir si tout cela convient à l'activité économique. Qu'en pensez-vous ?

– D'accord. Donnons-nous rendez-vous dans 10 jours pour la présentation des résultats de l'enquête et nous chercherons une solution concrète pour du télétravail qui convienne à notre entreprise. Merci.

[Pause de 3 minutes]

Seconde écoute

[Pause de 2 minutes]

L'épreuve de compréhension orale est terminée. Passez maintenant à l'épreuve de compréhension écrite.

CORRIGÉS

SE PRÉPARER

Activité 1, p.12

1. **a.** Homme : monsieur Duportel, père de Solène / Femme : (madame) la directrice.
b. Solène, élève au collège.
c. Le comportement.
2. **a.** La fille travaille bien à l'école/ les résultats sont bons / elle est heureuse à l'école.
b. Elle reçoit des plaintes des professeurs, Solène n'écoute pas en cours, dérange le cours.
c. Solène va avoir un petit frère, il va y avoir un second enfant dans la famille.

Activité 2, p.12

1. **a.** Chez eux.
b. Mari et femme.
c. Une lettre et un cadeau.
2. **a.** Thomas.
b. La fête des amoureux, la Saint-Valentin.

Activité 3, p.13

1. C'est un échange entre deux inconnus.
2. **a.** Réponses possibles : journaliste, reporter, photographe.
b. Réponses possibles : reportage sur les gens, passants typiques de la ville.
c. Satisfaite.

Activité 4, p.14

1. **Dialogue 1** : à la gare.
Dialogue 2 : dans un musée.
Dialogue 3 : dans une maison.
2.**a.** Hôtel.
b. Numéro de l'immeuble.
c. Code de la porte.
3. Au deuxième étage.
4. **a.** Salle à manger – **b.** Elle attend dans la cuisine.

Activité 5, p.14

1. **a.** Hélène : (cours de) musculation / Clara (cours de) danse.
b. Bouger : Clara / Courir : Hélène / Se déplacer : Clara / Lever : Hélène.
2. **a.** Porter des poids de 15 kg / trop lourd.
b. Elle est tombée.

Activité 6, p.15

1. **a.** 5 heures.
b. (Environ) 35 km.
2. **a.** Pas de chaussures (de marche).
b. Chemins pas confortables / pas faciles, pas de pause.
c. Avoir du plaisir.

Activité 7, p.15

1.

	Expressions de la peur ou l'inquiétude	Expressions pour rassurer
Dialogue 1	Ça me fait un peu peur Je me fais du souci	Arrête, calme-toi Ça va aller
Dialogue 2	Je m'inquiète beaucoup Comment je fais, moi ?	Ne te fais pas du souci (Sois patient) Attends, si ça peut te rassurer Arrête de t'angoisser

2. **a.** À la plage.
b. Les vagues sont grosses / le vent est fort / c'est dangereux.
c. Il revient si c'est trop difficile.
d. Elle va nager à côté.
3. **a.** Le chauffage est en panne / pas de rendez-vous fixé avec le chauffagiste.
b. Samira peut recevoir les parents d'Arthur à dormir.
c. Au moment de l'appel téléphonique / « Ouf, c'est lui ».

Activité 8, p.16

1. **a.** Georges.
b. Léna.
c. Diplôme de chimie.
2. **a.** Trouver un travail / gagner de l'argent.
b. Les fêtes, les copains, les sorties la nuit.
c. Partir un an faire le tour du monde.

Activité 9, p.17

1. **a.** Vous êtes sérieux ? c'est incroyable !
b. Dans une école.
c. Travaille à la cantine, fait le ménage dans les classes, travailler à l'école, dans la cour.
2. **a.** Son nouvel emploi du temps (pendant la pause déjeuner).
b. Ce n'est pas une surprise.
c. Elle n'est pas d'accord avec lui : il a de la chance de travailler dehors / de profiter des saisons.

Activité 10, p.17

1.

	Dans la rue	À la radio
Extrait 1		X
Extrait 2	X	

2. **a.** Les sportifs de haut niveau / les vrais sportifs.
b. Les nouvelles sportives (femmes).
c. D'accord avec l'image négative des médias ou l'avis sur les sportifs passionnés.

Activité 11, p.18

1. **a.** Chef d'atelier.
b. Départ à la retraite de Marcel Bensoussan.
2. **a.** Garage automobile.

b. Sa passion.

c. Il a proposé une nouvelle activité.

d. Admiratif et triste.

Activité 12, p.18

1. a. Vendeuse.

b. Bilan du travail.

2. a. Depuis 10 mois.

b. Elle est responsable.

c. Chef des ventes.

Activité 13, p.19

1. a. De la vie de la coiffeuse.

b. Offre d'un nouveau poste à 100 km.

2. a. Pas de qualification professionnelle.

b. Courageuse.

c. La pauvre.

Activité 14, p.19

1. a. Aux habitants, aux habitantes.

b. De 12 familles étrangères.

c. L'administration/la préfecture ne veut pas aider les familles.

2. a. Ont trouvé un hébergement aux familles.

b. Apporte une aide.

c. Déçue : *je suis vraiment déçu / malheureusement / quel dommage.*

Activité 15, p.20

1.a. Nouvelle organisation de travail / choix des horaires de départ et d'arrivée.

b. Morgane approuve la décision.

2. a. 8 heures par jour.

b. Emmène les enfants à l'école.

c. D'arrêter une heure le travail.

d. Ça me paraît une bonne idée / pour moi, ce sera plus simple / c'est une excellente organisation pour moi.

Activité 16, p.20

1. a. À la radio.

b. Animateur radio avec Éric de Toulouse.

c. La durée des vacances scolaires à 3 semaines.

2. a. Comment les parents vont organiser les vacances ?, la période de vacances angoisse-t-elle les parents ?

b. Avec ses enfants.

c. En colère.

d. Les parents qui travaillent.

Justification : ils n'ont pas trois semaines de vacances.

Activité 17, p.21

1. a. Salon de l'agriculture (sur un stand).

b. 3 jours (vendredi au dimanche).

c. Il doit travailler toute la journée.

2. a. Nourrir et nettoyer les vaches.

b. Fatigant.

c. C'est nul / tu imagines / je n'ai vraiment pas envie / non / je vais me plaindre.

Activité 18, p.21

1. a. En colère.

b. (Chef) cuisinier / restaurateur.

2. a. Le banquier.

b. Il ne gagne pas assez d'argent.

c. Vendre des pizzas / faire une pizzeria.

d. La France est le pays où on mange le plus de pizzas au monde.

e. Non. *Je regrette / j'ai refusé.*

Activité 19, p.22

1. a. Aller au musée.

b. Faire les magasins. 4

Manger une spécialité. 3

Visiter une église. 2

Se promener. 1

c. Visiter le musée.

2. a. Musée fermé exceptionnellement.

b. Déçue.

c. En fin de matinée.

Activité 20, p.22

1. a. Dans la nuit de dimanche à lundi.

b. Un voleur.

2. a. Qui voulait entrer chez elle.

b. A fait la conversation ET a envoyé un message à la police.

c. Son calme et sa stratégie.

Activité 21, p.23

1. a. Dans les piscines (de France).

b. La Nuit de l'eau.

c. De donner de l'argent.

2. a. La Journée mondiale de l'eau.

b. Villes / entreprises (de production d'énergie) / associations (de développement durable).

c. On associe les habitants à une cause mondiale.

d. Financer des actions (pour une eau propre et potable dans le monde).

Activité 22, p.23

1. a. Le temps que passent les enfants devant les écrans.

b. Les 13-19 ans passent 30 h par semaine.

2. a. Les enfants passent tout leur temps devant les écrans.

b. Comprend le comportement des jeunes.

c. Internet joue un rôle important d'intégration (sociale).

d. Isabelle interdit le portable (jusqu'aux vacances).

e. La réussite des jeunes.

Activité 23, p.24

1. a. Parce que c'est une championne.

b. Aux photos d'elle (diffusées sur les réseaux sociaux).

2. a. Surf.

b. À la vie personnelle.

c. Parler de son sport, de sa vie de sportive.

d. Utiliser son image pour des publicités non sportives.

e. Le succès est le résultat du travail.

Activité 24, p.25

1. a. Les règles

b. Regarder le site officiel de chaque pays.

2. a. Avec le passeport OU l'acheter à l'arrivée dans le pays.

b. De connaître les habitudes du pays.

c. Regarder les dernières informations du pays.

Activité 25, p.25

1. **a.** À la banque.
b. Rue Manuel (l'adresse de la banque).
2. **a.** L'arrêt de bus a le même nom que la rue de la banque.
b. Regarder un document.
c. Elle était certaine de l'adresse.
d. Reprendre le bus.

Activité 26, p.26

1. **a.** Fête du quartier (avec les voisins).
b. Un samedi en juin.
c. Je ne suis pas trop d'accord / je me demande si / je ne sais pas trop.
2. **a.** Fête religieuse, la fête de la musique (fête de l'été), son anniversaire.
b. C'est un long week-end.
c. Trop personnel.
d. De se promener en ville.
e. Voter (à la majorité).

Activité 27, p.26

1. **a.** Un groupe de musique « Nord ».
b. Impossible à trouver, 540 millions de résultats.
c. Les artistes se donnent des noms populaires.
2. **a.** Des noms très difficiles à trouver / noms trop communs.
b. Changer le nom de l'artiste.
c. Rien n'est impossible.

Activité 28, p.27

1. **a.** Une garderie dans une maison de retraite.
b. Intéressé / enthousiaste / optimiste.
c. Le projet va se développer dans tout le pays.
2. **a.** Moins d'égoïsme / plus de contacts entre les générations.
b. Faire de la cuisine, faire de la musique.
c. De retrouver la joie de vivre.

S'ENTRAÎNER

Exercice 2, p.29

1. **a.** Sortent d'une réunion de parents.
2. **b.** Elle est contente.
3. L'homme travaille à la télé (comme journaliste).
4. **b.** Doivent être séparées du programme scolaire.
5. **b.** Que les élèves organisent un voyage d'échange.
6. **c.** C'est une proposition trop technique…

Exercice 3, p.30

1. **b.** Du déroulement d'un déménagement.
2. **c.** À cause de la situation de l'appartement.
3. **c.** De s'occuper de la cuisine.
4. La fête pour ce nouvel appartement.
5. Connexion internet pas encore installée / installation pas avant trois semaines.
6. **a.** Rassurant.

Exercice 5, p.32

1. **b.** De la transformation des habitudes commerciales.
2. Responsable de l'économie numérique des entreprises.

3. **c.** Ont des équipements numériques.
4. S'informer (avant de se déplacer) / comparer (sur place) / exprimer sa satisfaction.
5. **c.** Comprendre les nouvelles habitudes des clients.
6. Aider l'économie de la région à se développer.

Exercice 6, p.33

1. **a.** Chez un banquier.
2. Travaillé dans des restaurants ou bars (Angleterre et Écosse).
3. Boire du thé toute la journée chez les Anglais.
4. **a.** Mélanger les cultures.
5. Dubitatif / peu convaincu car idée trop compliquée pour une stratégie commerciale.
6. **b.** Le financement.

Exercice 8, p.36

1. **c.** La place actuelle que les femmes occupent dans le monde.
2. Autant de femmes que d'hommes dans toutes les professions et fonctions.
3. **b.** Les femmes souhaitent être au pouvoir.
4. **b.** Les femmes restent rares à la place des hommes.
5. En juillet 2010, création de l'agence ONU Femmes / En France, tous les ans, organisation du « Sommet économique des femmes ».
6. **c.** Aucune femme ne préside les quarante premières entreprises.
7. Premières actions positives en politique et dans les entreprises.
8. **c.** Espère les mêmes progrès sur son continent.

Exercice 9, p.37

1. **c.** L'exposition d'un auteur de BD dans un musée classique.
2. Attirer de nouveaux publics.
3. **b.** Ne correspondait pas à la qualité artistique du musée.
4. Montrer que la main est essentielle dans l'art et dans la peinture.
5. **a.** Continue la tradition de la peinture.
6. Le musée était synonyme d'exposition de gens morts / d'images tristes, de mort, horribles et violentes.
7. **b.** Ennuyeux.
8. **a.** A appris à aimer les musées.

Compréhension des écrits

SE PRÉPARER

Activité 1, p.44

	Lieu	Activité	Formation	Travail	Cadeau
A					X
B	X				
C			X		
D		X			
E				X	

Activité 2, p.45

	Les loisirs	Le monde du travail	La formation
A		X	
B	X		
C			X
D	X		

Activité 3, p.46

Informations à surligner dans les textes (un code-couleur a été ajouté pour faciliter le repérage).
– un objet de décoration ;
– qui ait une véritable utilité ;
– qui ne consomme pas d'énergie ;
– pas trop lourd pour pouvoir l'envoyer par la poste (au maximum 300 g) ;
– d'un montant de 40 euros au maximum.

Porte documents éléphant

C'est un joli objet de décoration... qu'il soit vide ou plein.
Cet éléphant tout en métal garde le courrier ou met en évidence les factures à régler...
Très pratique, vous n'aurez qu'à le poser sur un meuble.
Ce petit éléphant n'a besoin de rien pour fonctionner. Ni pile, ni prise.
Il se contente d'accueillir vos documents.
Sa trompe vous permet même d'y accrocher des clés.
Une idée de cadeau idéale si on cherche quelque chose pour la décoration tout en ayant un véritable usage.

Hauteur : 15 cm
Largeur : 20 cm
Poids : 300 g
Prix : 27,90 euros

Cube réveil en bois

On dirait un simple cube de bois. Mais cet objet, décoratif et utile, est plus perfectionné qu'il n'y paraît : le cube n'affiche l'heure que si vous le lui demandez. Comment ? Rien de plus simple : claquez des doigts ou tapez des mains et comme par magie l'heure s'affiche. Ce cube est bien entendu équipé d'une fonction alarme très simple à régler. Il fonctionne avec deux piles. Vous pouvez donc le poser n'importe où.
Un cadeau à la fois utile et beau.

Hauteur : 6 cm
Largeur : 6 cm
Poids : 200 g
Prix : 34,90 euros

Coffret cadeau Trésor de sel d'Himalaya

Cet élégant coffret renferme un véritable trésor. En effet, il peut décorer votre maison et surtout il contient des blocs de sel « Perle rose » extraits d'une mine de montagne de l'Himalaya. Leur allure de pierre précieuse apporte de l'exotisme sur votre table.
Vous aurez de quoi donner du goût à vos plats mais aussi attirer l'attention de tous vos invités !
Un cadeau très original, qui ne consomme pas d'énergie mais qui sait en donner !

Hauteur : 15,3 cm
Largeur : 14,3 cm
Poids : 500 g
Prix : 45 euros

Trophée tête de cerf en carton

Voici l'une des pièces de décoration les plus à la mode en ce moment : ce trophée en carton tête de cerf.
Offrez ce cadeau qui n'a aucune utilité sinon celle de rendre originale une pièce de la maison. Il se présente sous la forme d'un kit très simple à construire. Cet objet respecte l'environnement : il ne consomme pas d'énergie, aucun animal n'a été tué et il a été fabriqué à partir de carton recyclé.
Ce cerf peut être décoré avec de la peinture, du papier, etc.

Hauteur : 44 cm
Largeur : 22 cm
Poids : 230 g
Prix : 49,90 euros

Activité 4, p.47

	1. Porte documents éléphant		2. Cube réveil en bois		3. Coffret cadeau Trésor de sel d'Himalaya		4. Trophée tête de cerf en carton	
	Convient	Ne convient pas	Convient	Ne convient pas	Convient	Ne convient pas	Convient	Ne convient pas
Décoration	X		X		X		X	
Utilité	X		X		X			X
Consommation	X			X	X		X	
Poids	X		X			X	X	
Prix	X		X		X			X

Activité 5, p.47

1.

	1. Trophée du lac		2. Porte à porte		3. Concours de cuisine		4. Création artistique	
	Convient	Ne convient pas	Convient	Ne convient pas	Convient	Ne convient pas	Convient	Ne convient pas
Extérieur	X			X		X	X	
Bonne humeur	X		X		X		X	
Créativité		X	X		X		X	
Durée	X			X	X		X	
Capacité physique	X			X		X	X	

2. L'activité 4 : Création artistique.

Activité 6, p.49

1.

	1. Trophée du lac		2. Porte à porte		3. Concours de cuisine		4. Création artistique	
	Convient	Ne convient pas	Convient	Ne convient pas	Convient	Ne convient pas	Convient	Ne convient pas
Intérieur		X	X		X			X
Communication	X		X		X		X	
Repas		X	X		X			X
Durée		X	X			X		X
Capacité physique		X	X		X			X

2. L'activité 2 : Porte à porte.

Activité 7, p.50

	Raconter	Argumenter	Informer	Conseiller	Éléments du texte justifiant votre choix
Texte 1		X			Le texte a pour but de chercher à convaincre le lecteur en présentant les arguments pour ou contre la publicité au cinéma. On trouve des marques de l'opinion telles que « pour ma part », « j'aime », « inutile ».
Texte 2	X				Le texte raconte une histoire. Il s'agit du récit d'une journée en famille. On note l'utilisation des temps du passé, de la description d'événements et de sentiments.
Texte 3				X	Le texte est une recette de cuisine. Il donne des conseils précis (ingrédients, durée) pour réaliser un risotto. On remarque l'utilisation de l'impératif pour donner des instructions.
Texte 4			X		Le texte développe un thème, sur une pratique nouvelle : le fait de manger cru. Le texte est structuré en paragraphes. Chaque paragraphe apporte des idées précises : témoignages d'une fabricante, d'une réalisatrice, définition de la pratique, avantages et dangers, témoignages de visiteurs.

Activité 8 p.53

1. a. Fête des voisins : une solution à la peur de déranger des Français ?

b. Le site *http://www.linternaute.com*

c. Le texte parle d'une fête, la Fête des voisins, qui a lieu en mai et qui cherche à favoriser la rencontre et l'échange entre habitants d'un même quartier.

d. D'après les sous-titres, on comprend que le texte parle des relations entre voisins en France. L'histoire de la Fête des voisins est évoquée, l'édition 2016, et donne des conseils pour organiser cet événement.

e. Quatre paragraphes, correspondant aux 4 sous-titres.

f. L'illustration qui accompagne le texte est l'affiche de l'événement : la Fête des voisins 2016. Elle donne des informations sur la date (27 mai 2016), sur les organisateurs et partenaires. Un site internet est mentionné (www.immeublesenfete.com). L'affiche cherche à mettre en valeur l'esprit de la fête : la bonne humeur, la communication, l'échange. Plusieurs voisins sont réunis autour d'une table sur laquelle sont posés des plats et boissons. Il y a des décorations (ballons, guirlandes) qui donnent une atmosphère festive. Les personnes présentes sur l'image sont joyeuses, tout le monde se parle.

g. D'après ce qui est en gras dans le texte, on apprend qu'une grande partie des Français est favorable aux échanges entre voisins (41 %). On découvre également que la Fête des voisins est un événement en augmentation permanente (10 000 habitants de 800 immeubles parisiens en 1999, contre 8 millions de personnes en France en 2015). La date et l'affiche de l'événement sont mises en avant, ainsi que l'un des objectifs de la fête : la communication.

2. Il s'agit d'un article du site *http://www.linternaute.com* qui parle de la Fête des voisins. Cette fête a lieu chaque année. En 2016, elle est organisée le 27 mai. C'est une fête qui a de plus en plus de succès et dont l'objectif est de permettre d'organiser un moment agréable entre voisins.

3. Dans le texte, on apprend que la Fête des voisins répond au constat des Français qu'il existe « un manque d'occasions » pour rencontrer ses voisins. On découvre que la fête a été créée à Paris en 1999 et que désormais, elle est organisée dans beaucoup de villes en France et même à l'étranger. Au départ, la fête avait lieu le mardi mais depuis 2010, l'événement est toujours organisé un vendredi. Cela permet à plus de personnes d'en profiter. L'article donne des informations pratiques pour organiser l'événement et parle des conseils donnés par l'association « Immeubles en fête ».

Activité 9, p.55

1. Les Français **sont pour** le travail du dimanche mais pas pour eux.

Le travail du dimanche pour le voisin, les Français l'**approuvent** parce qu'il fait du bien à l'économie. Mais hors de question de faire soi-même ce sacrifice dominical. D'après un sondage réalisé par Odoxa pour Le Parisien, 53 % des personnes sondées **considèrent** le dimanche comme un jour sacré... pour eux-mêmes ! Pourtant, 68 % d'entre eux **trouvent** que l'ouverture des magasins le dimanche est une bonne nouvelle.

Les raisons de ce refus de travailler le dernier jour de la semaine ? Pour eux, le dimanche doit être reposant (92 %) et familial (91 %). Les Français **pensent** que ce jour n'est pas comme les autres (66 %) et ils **refusent** très majoritairement de l'associer au commerce (57 %) ou à une journée permettant de terminer le travail de la semaine (66 %).

Important pour l'économie

Les Français **estiment** que le travail du dimanche est important pour notre économie (66 % des sondés), même si la majorité des personnes interrogées (54 %) **pensent** que la nouvelle loi sera inutile pour améliorer le marché du travail. Ils ne sont en effet que 36 % à **croire** que travailler le dimanche permettra de créer des emplois.

2. **a. Être** pour (sont pour)
b. Approuver (approuvent)
c. Considérer (considèrent)
d. Trouver (trouvent)
e. Penser (pensent, deux fois)
f. Refuser (refusent)
g. Estimer (estiment)
h. Croire

Activité 10, p.55

1. **a.** Sacré. / **b.** Reposant. / **c.** Familial.
2. **a.** Important. / **b.** Inutile.

Activité 11, p.56

Éléments du texte en faveur du travail le dimanche	Éléments du texte contre le travail le dimanche
Les Français sont pour « parce qu'il fait du bien à l'économie ». Ils pensent que « l'ouverture des magasins le dimanche est une bonne nouvelle ». Ce jour de travail supplémentaire est « important pour notre économie » car « travailler le dimanche permettra de créer des emplois. ».	Les Français ne sont pas pour le travail le dimanche « pour eux ». Il leur semble « hors de question de faire soi-même ce sacrifice dominical ». C'est un jour « sacré », « reposant » et « familial ». « Ce jour n'est pas comme les autres » et pour cette raison il y a un refus de « l'associer au commerce » ou « de terminer le travail de la semaine ». Cette loi sera « inutile pour améliorer le marché du travail. »

Activité 12, p.74

1. **a.** Un signal de la circulation routière.
b. Une personne énervante est une personne qui vous rend mécontent.
c. Une punition sous forme d'argent à payer.

2.

	Quel mot connu pouvez-vous reconnaître ?	Quelle est la signification du mot ?
Fréquenté	Fréquence	Un lieu où passent souvent, régulièrement des personnes.
Constructeur	Construire	Société qui construit (dans ce texte, des voitures).
Réduire	Réduction	Diminuer. Contraire d'augmenter.
Emprisonnement	Prison	Le fait de mettre en prison.

Activité 13, p.58

a. Vrai.
Justification : « On les croise dans la rue, dans le métro et même parfois dans les rayons des supermarchés. »
b. Faux.
Justification : « Ces feux ont seulement été mis à deux arrêts de tramway. »
c. Faux.
Justification : « Plus d'un Français sur deux (53 %) utilise son téléphone au moment de traverser la route. »
d. Faux.
Justification : « La ville propose des voies piétonnes réservées aux utilisateurs de smartphones. »

Activité 14, p.59

1. **c.** A des effets négatifs sur l'agriculture.
2. **b.** Parce que la météo est mauvaise.
3. À cause d'un manque de lumière et des sols trempés.
4. Certains fruits et légumes ne sont pas disponibles.
5.

CAUSE	CONSÉQUENCE
À cause de En raison de Grâce à	Conséquences En effet Provoquer C'est pourquoi

S'ENTRAÎNER

Exercice 2, p.62

1.

	1. Stage de volley-ball — Convient	Ne convient pas	2. Cours de zumba — Convient	Ne convient pas	3. Club de tennis de table — Convient	Ne convient pas	4. Cours en salle — Convient	Ne convient pas
Rencontres	X		X		X			X
Horaires		X	X		X	X		
Fréquence		X	X		X	X		
Accès	X			X	X	X		
Prix		X		X	X			X

2. L'activité 3 : Club de tennis de table.

Exercice 3, p.64

1.

	1. Les Tables d'antan — Convient	Ne convient pas	2. Brasserie La Perle — Convient	Ne convient pas	3. Chez Achour — Convient	Ne convient pas	4. À la Bonne Heure — Convient	Ne convient pas
Cuisine	X		X			X	X	
Service	X		X		X			
Prix		X	X			X	X	
Jours		X	X			X	X	
Situation	X		X		X			X

2. Le restaurant 2 : Brasserie La Perle.

Exercice 5, p.70

1. **b.** Forme de consommation.
2. **Vrai ou Faux ?**
a. **Faux.** « Cet intérêt pour la location ne concerne pas l'immobilier. »
b. **Faux.** « Le monde de la musique [...] semble connaître une renaissance. »
c. **Vrai.** « La consommation par abonnement est adaptée à la consommation de films, de livres et de produits culturels et de musique. »
3. **c.** Stationnement.
4. Pour eux, la location a un sens écologique.
5. **b.** Ne souhaitent pas emprunter de l'argent.

6. **Vrai.** « Certaines entreprises ont compris les intérêts économiques de cette nouvelle tendance. »
7. Du matériel à usage limité dans le temps.
8. **a.** Leur domicile.
9. **b.** Financier.

Exercice 6, p.73

1. **c.** De rendre plus accessible les transports.
2. **b.** Les élus locaux.
3. **Vrai ou Faux ?**
a. **Faux.** « Des intervenants d'Aubagne et de Tallinn, capitale d'Estonie, sont invités à partager leurs expériences sur le passage à la gratuité. »
b. **Vrai.** « Cela a donné naissance à d'autres organisations. »
c. **Vrai.** « Les militants rencontrent de nombreuses personnes globalement en accord avec leur mouvement. »
d. **Vrai.** « La question du financement revient constamment comme un obstacle supposé. »
4. Que la gratuité entraîne une augmentation des impôts.
5. **c.** Partage les citoyens.
6. Deux réponses parmi celles-ci : Pour travailler OU pour faire ses courses OU pour aller à l'école.
7. **c.** En transports publics.
8. **a.** Mérite encore d'être discutée.

Production écrite

SE PRÉPARER

Activité 1, p.82

Nombre de mots exact : 67 mots

Activité 2, p.82

Pendant la première semaine du climat à l'école française, du /10/ 5 au 10 octobre 2015, un groupe d'assurances a fait /10/ une enquête nationale. Il voulait connaître l'avis des parents et /10/ des professeurs sur « l'éducation à l'environnement et au développement durable /10/ ». Il semble que la majorité est d'accord pour donner une /10/ large place à ces thèmes à l'école. 94 % des parents /10/ et 96 % des professeurs sont sûrs que cela profite aux /10/ enfants.
Nombre total de mots : 71 mots

Activité 3, p.82

1. **La situation générale :**
Salut, j'ai trouvé un job en juillet dans un restaurant à Saint-Malo. Je suis très content parce que j'adore la Bretagne. J'espère que le salaire sera correct mais...
2. **Les problèmes rencontrés :**
Les horaires sont très difficiles parce que je dois commencer pour préparer les petits déjeuners à 5 heures. Après, il y a une pause de 2 heures jusqu'à 11 h. Enfin, le soir, on fait le service du dîner jusqu'à 23 h. En plus, le chef est horrible et on doit toujours sourire.
3. **La demande de conseils :**
Comment je peux faire pour rester pendant 4 semaines ici ? Qu'est-ce que je peux faire ou dire pour améliorer la situation ? Toi qui as travaillé aussi dans des bars, quels conseils peux-tu me donner ? Je te remercie d'avance, Bien à toi

Activité 4, p.83

Proposition de corrigé :

Salut, Tu veux arrêter tes études de médecine ? Mais c'est dommage de stopper tout maintenant. Tu sais, je vais prendre un exemple personnel : ma sœur a commencé des études et après deux années, elle a eu envie de voyager. Imagine qu'elle a fait le tour du monde pendant 10 mois ! Quand elle est rentrée, elle a cherché à retourner à l'université et c'était très compliqué. Ce que je veux dire, c'est que parfois on regrette un peu d'avoir changé trop vite. Finalement, réfléchis bien. A bientôt. P.

Activité 5, p.83

Proposition de corrigé :

Être 3 ou 4 employés dans un même bureau peut avoir des avantages. Tout d'abord, c'est plus pratique quand on travaille en équipe presque toute la journée. En premier lieu, on échange les informations plus vite et ensuite on est plus créatif à plusieurs. De plus, on connaît le contenu des appels téléphoniques de l'équipe et les clients peuvent ainsi se sentir plus en confiance. Par ailleurs, on peut s'organiser pour partager les dossiers. En définitive, il y a plus d'avantages à être dans un « open-space » que d'inconvénients.

Activité 6, p.83

Lettre personnelle	Article de journal	Note professionnelle
• Amicalement • Je t'ai dit que j'avais un nouveau travail ? • J'en suis sûr, Internet c'est la fin des bibliothèques.	• Certaines personnes disent que les robots sont utiles à la maison. • La tablette numérique, ça n'a aucun intérêt ! • La population devra accepter la révolution numérique.	• Cher Monsieur, j'aimerais tout d'abord préciser… • En revanche, il est urgent de prendre cette mesure très rapidement.

Activité 7, p.84

Un témoignage sur un forum => Le style est libre et familier.

Enfin, une super idée : le travail à distance !

Pour moi qui reste toute la journée au bureau devant mon ordinateur, je pense que je serais plus efficace à la maison. Toute ma famille est absente la journée et je pourrais tout seul me concentrer davantage sur les dossiers. En plus, si je suis malade, je peux continuer à travailler dans mon lit ! Et surtout, je n'aurais pas besoin de prendre le bus et je gagnerais 1 heure 30 par jour de fatigue. Donc je suis absolument pour le travail à distance, c'est l'avenir !

Un article pour un magazine => Les informations sont structurées et générales.

Le travail à distance est aujourd'hui une nouvelle manière de travailler.

D'abord, rester à la maison est plus pratique parce qu'on n'a pas besoin de perdre du temps dans les transports. Ensuite, on est moins fatigué et on peut aussi être un peu malade et continuer à travailler à la maison : c'est plus économique pour l'entreprise. Enfin, on travaille à son rythme, on est plus efficace et concentré dans une atmosphère plus agréable.

Pour conclure, le travail à distance est une chance pour l'entreprise et le salarié.

Une lettre formelle => Vous parlez à une personne supérieure, le style est précis.

Monsieur le Directeur,

Je souhaiterais attirer votre attention sur une nouvelle possibilité de travailler pour tous les salariés : le travail à distance. En effet, nous souhaiterions dans mon équipe pouvoir travailler dans la semaine un ou deux jours à distance afin d'être plus efficace. Ce serait un avantage aussi pour l'entreprise parce que vous pourriez économiser nos remboursements de transport. C'est pourquoi nous voudrions vous rencontrer pour en parler avec vous. Vous remerciant par avance de votre proposition, cordiales salutations.

Activité 8, p.84

Proposition de corrigé :

Chers parents, Nous sommes heureux d'accueillir vos enfants dans notre école qui se trouve rue Victor-Hugo près de la place de la gare. Elle est très facile à trouver et les élèves ont des bus et des trams qui passent sur cette place. À côté de l'école, on trouve tous les grands magasins et derrière l'école, entre la gare et la rue Victor-Hugo, les rues piétonnes sont nombreuses. La sécurité dans les rues est très bonne et souvent les élèves se retrouvent dans un café au coin nord de la place. Là, ils peuvent acheter des spécialités et des pâtisseries délicieuses.

Activité 9, p.84

Proposition de corrigé :

Bonjour à vous tous, nous souhaitons que toutes nos boulangeries restent ouvertes toute la journée dans le centre-ville, il faut ouvrir de 6 h à 20 h. Pour les magasins des autres villes et villages, il est possible de fermer entre 12 h 30 et 14 h 30 mais il faut rester ouvert jusqu'à 20 h aussi. Le dimanche et les jours fériés, toutes nos boulangeries doivent accueillir les clients jusqu'à 13 h. Bien sûr, vous pouvez fermer une journée et demie par semaine et une semaine pendant l'été.

Activité 10, p.85

Proposition de corrigé :

Quand mes grands-parents ont commencé à travailler, la vie était difficile. Autrefois, les horaires et les jours de repos étaient très différents et la journée de travail pouvait durer dix heures. Au début, mon grand-père transportait le courrier dans sa ville, et il devait commencer à 5 h du matin. L'après-midi, il dormait. Ensuite, il a travaillé au guichet de la poste toute la journée. Ma grand-mère a eu plus de chance, elle était responsable d'un magasin de chaussures mais pendant que mon grand-père passait son temps à la poste, elle continuait à vendre jusqu'au soir. C'est vrai qu'ils ont été heureux de s'arrêter de travailler et de prendre leur retraite ensemble après 40 ans de travail. Enfin !

Activité 11, p.85

Proposition de corrigé :

Moi, je pense que la vie à l'école devrait être plus agréable pour mes deux enfants. Il faudrait améliorer la qualité des équipements comme une cour pour faire du sport, un parc pour se promener et un centre sportif ouvert pendant les pauses et le soir. Une atmosphère satisfaisante dans l'école permet aux enfants d'obtenir de meilleurs résultats en classe. Je pense que nos enfants ont besoin de calme et de sécurité à l'école et doivent avoir l'habitude de vivre ensemble dans un climat de paix et de solidarité.

Activité 12, p.85

Proposition de corrigé :

En raison des mesures écologiques que notre entreprise a décidé de prendre, le parking pour voitures sera définitivement fermé le 1er du mois prochain. Vous le savez, toutes ces voitures provoquent beaucoup de bruit et de pollution au moment des arrivées et des départs et causent beaucoup de fatigue et de stress à chaque employé. Étant donné que la majorité du personnel a voté pour cette fermeture, il faut donc adapter nos habitudes et chercher d'autres solutions. C'est pourquoi la direction vous propose de participer à l'achat des tickets ou abonnement de transport.

Activité 13, p.86

Proposition de corrigé :

Cher ami, excellente idée de venir travailler chez nous ! Il faut d'abord bien comprendre comment on cherche un travail ici. C'est d'abord de l'administration qu'il faut s'occuper. Tu sais, c'est elle qui te donne l'autorisation de t'inscrire à l'agence pour l'emploi. Cette agence, je la connais bien parce que moi aussi, j'ai dû m'inscrire pour trouver mon travail. Pour être clair, il faut de la patience et des heures à attendre pour rencontrer un conseiller. Ce que je peux faire, c'est venir avec toi la première fois et je pourrai ainsi t'aider. D'accord ?

Activité 14, p.86

Proposition de corrigé :

La Fête nationale est un jour férié et tout est fermé ce jour-là. Enfin, pas complètement. Ça commence la soirée d'avant avec de la musique et de la danse dans les rues, donc tous les cafés et restaurants sont ouverts jusque tard dans la nuit. Le jour de la fête, tu peux trouver toutes les boulangeries ouvertes le matin mais attention, tous les autres commerces, supermarchés ou grands magasins sont fermés. Les transports en ville sont totalement absents mais tu peux prendre le train ou l'avion !

Activité 15, p.86

Proposition de corrigé :

À propos du problème des déjeuners dans notre entreprise, je vais vous raconter l'histoire d'un ami pour vous faire réfléchir : dans tous les bureaux de son entreprise, les employés peuvent non seulement rester pendant la pause déjeuner mais aussi préparer leurs repas. Et si je vous disais qu'ils ont à chaque étage une cuisine avec frigo et micro-ondes ! Bien sûr, le directeur voit là une solution formidable à la motivation et à l'efficacité de toutes et tous et les salariés aiment travailler dans une atmosphère amicale. Intéressant, non ?

Activité 16, p.87

Proposition de corrigé :

Voilà, j'ai testé la sieste « flash » à l'université, et je n'étais pas tout seul ! Un étudiant s'est installé au milieu d'un couloir et nous a demandé à tous de nous allonger. J'étais d'abord très surpris et aussi amusé, alors je me suis couché. J'ai fait l'expérience : me concentrer sur un lieu de vacances, penser au soleil, écouter ma respiration. C'était génial ! Cinq minutes après, l'étudiant a dit que c'était fini. Un moment de détente incroyable !

Activité 17 p.88

Proposition de corrigé :

Salut, J'espère que tu vas bien et que tu commences à organiser tes vacances d'été. Écoute, tu sais qu'on voudrait partir avec toi et ta famille et passer trois semaines sur l'île de La Réunion. Je t'ai dit aussi que pour Marion, c'est la seule possibilité cette année de partir avec nous ? Et bien, la dernière nouvelle incroyable du bureau, c'est que notre directeur a décidé que l'entreprise devrait fermer deux semaines MAXIMUM cet été. Alors là, c'est inacceptable. Et il faut que je te dise que j'ai déjà programmé une réunion du personnel lundi prochain pour contester cette décision : le directeur doit retirer cette mesure !

Activité 18, p.88

Proposition de corrigé :

1. Écoute, je pense qu'avec un album de photos souvenir, il va pleurer pendant six mois ! Et surtout, six mois passent très vite et il reviendra ici après ce stage.
2. Donc, à mon avis, c'est plus utile si on lui offre un équipement de voyage.
3. En Afrique centrale, le climat est difficile, il fait très chaud, très humide. Comme Baptiste va beaucoup se déplacer, il lui faudrait un grand sac à dos solide, un chapeau contre la pluie ou le soleil. Enfin, offrons-lui le T-shirt imprimé avec LA photo de notre groupe !

Activité 19, p.88

Proposition de corrigé :

D'abord, je dois dire que l'école primaire n'était pas une période facile pour moi car mes parents ont beaucoup déménagé et je n'ai pas pu avoir beaucoup de copains à chaque fois. D'ailleurs, j'ai gardé très peu de souvenirs de cette période mais je peux raconter une expérience de ma dernière année de primaire : l'atelier théâtre.

Ensuite, je présenterai le spectacle de théâtre que j'ai pu jouer à la fin de l'année devant toute l'école.

Enfin, je parlerai de mes impressions quand j'ai joué la pièce et mon sentiment du dernier jour d'école primaire. En conclusion, je donnerai des conseils aux parents pour que l'école primaire de leurs enfants reste un beau souvenir...

Activité 20, p.89

Proposition de corrigé :

1. Autrefois, les parents de mes grands-parents travaillaient tous les jours et n'avaient pas de loisirs. Pour les repas, ils prenaient des petits-déjeuners de soupe et de légumes à la maison très tôt et préparaient leur déjeuner qu'ils emportaient dans les champs. Le soir, c'était une soupe avec du pain et ils se couchaient très tôt.
2. Pour mes grands-parents, le travail était pénible parce qu'ils travaillaient dans une usine. Mais, mes deux grands-parents travaillaient dans les bureaux et avaient des horaires d'employés alors que les deux autres travail-

laient dans des équipes de jour ou de nuit. Seulement le dimanche, toute la famille pouvait se retrouver ensemble et prendre le temps de manger. C'est toujours une tradition en France de rester à table le dimanche de 13 h à 17 h !

3. Quand j'étais enfant, mes parents travaillaient jusqu'à 17 h et après un parent venait me chercher à l'école avec un gâteau et une boisson. Cette pause « goûter » reste d'ailleurs une habitude dans notre famille. Après, le soir, mes parents, ma sœur et moi nous retrouvions à table se retrouvaient à table vers 20 h, dans la cuisine ou dans le salon. Nous mangions toujours ensemble et souvent devant la télé. Tous les plats étaient sur la table et chacun pouvait se servir selon ses goûts.

4. Aujourd'hui, je travaille toute la journée et ma pause déjeuner se passe très souvent dans mon bureau ou parfois à la cafétéria. Quand je rentre dîner chez moi le soir, je mange parfois dans la cuisine mais je ne prépare pas beaucoup, j'achète tout préparé. Sinon, je retrouve souvent des amis au restaurant dans la semaine.

5. J'espère que dans 10 ans, la vie au travail sera plus agréable et que je pourrai choisir mes horaires de travail et de pause. Je pourrai retrouver le rythme des trois repas et je commanderai les plats que j'aime…. Le soir, je pourrai aussi programmer mes repas de manière plus adaptée à mes besoins caloriques, énergétiques.

Activité 21, p.90

Proposition de corrigé :

« Des projets plein la tête »

Pour notre quartier, je souhaiterais que l'accès aux transports publics s'améliore. Par exemple, si on pouvait avoir plus d'arrêts de bus, cela empêcherait d'avoir trop de voitures dans le quartier.

Encore mieux : si les bus pouvaient s'arrêter quand on marche dans la rue et qu'on leur fait signe, ce serait un grand progrès.

Je pense que pour garder les petits commerces, il faudrait demander l'avis des habitants en cas de construction ou d'extension d'un supermarché.

Je voudrais que les espaces verts restent ouverts le jour et la nuit pour donner envie aux habitants de sortir de chez eux et de se rencontrer.

Ce serait bien si des habitants organisaient un jardin de quartier pour cultiver des légumes ensemble.

Il faudrait avoir plus de lieux de rencontres dans le quartier au cas où un habitant voudrait discuter publiquement d'un problème de sécurité ou d'environnement.

Activité 22, p.91

Tristesse → J'en ai assez - tu n'as pas l'air bien

Peur → ça m'angoisse - ça m'inquiète

Joie → je suis ravi - je suis tellement content

Satisfaction → ça me rassure - ça me va très bien

Activité 23, p.91

Proposition de corrigé :

J'en ai assez : on nous propose de travailler 6 jours par semaine quand il y une forte activité puis de prendre des jours de congé obligatoires quand les commandes sont calmes. C'est trop difficile de s'organiser personnellement avec les enfants et le club de sport. Je suis vraiment fatigué après des semaines de six jours et le chef ne nous remercie même pas de nos efforts. Ça suffit !

Activité 24, p.91

Proposition de corrigé :

Je voudrais parler de l'initiative très positive de l'école de mon enfant. Depuis septembre dernier, les enfants peuvent rencontrer une fois par semaine des adultes qui travaillent avec le livre. Mon enfant m'a raconté qu'il avait écouté l'auteur de son album préféré à la bibliothèque et cela a eu une influence très positive pour lui. Il m'a dit qu'il voulait aussi inventer des histoires et, tous les jours, je dois lui lire une histoire avant de dormir ! C'est une idée très stimulante pour les enfants !

Activité 25, p.92

Que détestez-vous le plus ?

Au travail → Je ne supporte pas que les collègues discutent de leur vie privée pendant les réunions.

Dans les transports → C'est insupportable de voir des personnes prendre deux places avec des sacs pendant que des personnes âgées restent debout.

Dans la rue → Ce n'est pas possible que les vélos roulent sur les trottoirs.

Au restaurant → Je trouve impossible que les serveurs ne sourient jamais pendant le service.

En voiture → C'est incroyable que les gens ne soient plus civilisés quand ils conduisent ; ils ont parfois des comportements sauvages.

Activité 26, p.92

Proposition de corrigé :

Monsieur le responsable,

Je voudrais vous faire part de mon mécontentement. Grâce à votre publicité, j'ai décidé la semaine dernière de venir chercher du matériel de bricolage et des conseils dans votre magasin. C'était catastrophique : je suis arrivé samedi à 14 h mais le premier problème était de pouvoir circuler dans le magasin ; il y avait trop de gens, et pas de place dans les allées. J'ai commencé à m'énerver et j'ai cherché un vendeur pour m'aider. Mais les vendeurs étaient occupés et les clients faisaient la queue pour leur parler, c'était insupportable ! Finalement, après une heure dans le magasin, je n'ai rien acheté et rien vu. Je crois que je ne reviendrai plus. Salutations distinguées.

Activité 27, p.92

Proposition de corrigé :

Tu sais que notre chat a vu le vétérinaire et j'ai une très bonne nouvelle. Il était un peu malade mais ça y est, il a des médicaments. Ça va déjà beaucoup mieux et je t'envoie une photo pour te rassurer. Allez, profite bien de ton voyage et, à ton retour, le chat sera en pleine forme !

Activité 28, p.92

1. Je suis très content de ce projet parce que notre quartier va devenir plus populaire et commercial. C'était difficile de trouver des commerces proches mais attention à la fermeture des commerces des quartiers voisins en raison de cette concurrence. Je pense que l'idée d'un grand parking est un risque de pollution et je souhaite que des lignes de bus plus nombreuses soient en service tous les jours.

2. Mais quelle idée stupide ! On sait aujourd'hui que les centres commerciaux empêchent la vie dans les autres quartiers. Tout le monde trouve cela pratique mais les

petits commerces de la ville ferment. En plus, un grand parking provoque des embouteillages fréquents. Donc, on peut construire un petit supermarché mais il faut éviter de concentrer les autres commerces. Nous voulons que les habitants vivent et consomment dans leur quartier !

Activité 29, p.93

Proposition de corrigé :
Venez absolument tester la nouvelle auberge de jeunesse qui ouvre le 5 octobre prochain ! Vous savez que depuis 5 ans déjà, les étudiants étrangers exprimaient de fortes critiques sur notre ancienne auberge de jeunesse qui était sale et démodée. En plus, l'hiver, le chauffage marchait mal et l'été, il n'y avait pas de climatisation. Donc, enfin, la nouvelle auberge présente toutes les qualités techniques et écologiques avec des tarifs très bas. Les chambres ont toutes une douche et la nuit du 5 au 6, l'office du tourisme propose aux 50 premiers inscrits de dormir gratuitement.

Activité 30, p.93

Proposition de corrigé :
Madame, Monsieur,
Je suis étudiant et je m'intéresse et étudie l'animation culturelle. Je souhaiterais me porter candidat au poste d'animateur pour le bibliobus que vous proposez.
En effet, je suis passionné de lecture depuis mon enfance et j'ai lu tous les genres : littérature jeunesse, sciences fiction, romans historiques, BD... De plus, dans ma famille, j'ai 4 frères et sœurs et je suis l'aîné. Donc j'ai beaucoup accompagné tout le monde aux activités et j'ai beaucoup d'idées pour intéresser tous les âges à la lecture ou l'écriture.
C'est pourquoi votre projet d'apporter des actions culturelles dans les quartiers et près des gens me motive beaucoup. Dans l'attente de votre réponse, je vous prie d'agréer mes salutations respectueuses.

S'ENTRAÎNER

Exercice 2, p.95

Proposition de corrigé :
Cher magazine,
Votre initiative est excellente et nous souhaitons apporter notre aide financière au club de judo de la ville.
En effet, le judo est un sport très populaire dans la région et je dois dire que j'étais moi aussi très engagé dans ce sport. Quand j'avais 20 ans, j'ai gagné des compétitions régionales et nationales et aujourd'hui, mes enfants font du judo. De plus, dans notre entreprise, j'ai un employé qui est entraîneur d'une équipe de judo de quartier et cela me plaît d'encourager cette activité sportive.
Ce sport est une activité qui convient vraiment à tous les âges et qui permet de travailler en même temps ses muscles et sa tête. Pour les jeunes, c'est aussi une occasion de bien contrôler son agressivité ou sa violence et de penser à la stratégie de battre l'adversaire. Il ne faut pas oublier que les compétitions sont des moments très beaux à regarder, les gestes très harmonieux des judokas et le vocabulaire japonais pendant les matchs donnent une ambiance artistique fascinante.

C'est pourquoi notre entreprise accepte de participer financièrement au club de judo de la commune.
Nombre de mots utilisés : 186 mots.

Exercice 3, p.96

Proposition de corrigé :
Bonjour,
Je suis très heureux de votre information et je suis d'accord que les enfants d'aujourd'hui doivent apprendre avec des outils numériques et informatiques. N'oublions pas que la grande majorité des enfants a déjà à la maison des ordinateurs et une connexion internet, donc c'est logique que l'école équipe les élèves et les classes. J'espère que vous avez choisi la même façon de distribuer le matériel que les livres de cours : les livres sont prêtés gratuitement pour une année à tous élèves du premier jour au dernier jour de classe.
Ensuite, comme ce matériel est utile pour apprendre et permet d'enregistrer tout les cours et les devoirs, les enfants devront pouvoir le prendre chez eux le week-end et en vacances pour pouvoir continuer à travailler, c'est logique et évident !
Bien sûr, il faudrait connaître les conditions exactes du prêt pour l'élève et prévoir aussi les problèmes avec ce matériel comme la panne, le virus ou le vol. Peut-être que les parents pourraient aussi l'acheter après une année. Dernière chose, les élèves ne devront pas oublier que ce matériel est seulement pour le travail de l'école !
Nombre de mots utilisés : 188 mots.

Exercice 5, p.98

Proposition de corrigé :
Bravo à ce nouveau projet ! Ça fait dix ans que j'attends ces progrès car la gare devient de plus en plus vieille. Toutes les semaines, ce sont les mêmes problèmes : quand j'arrive le matin en voiture pour laisser mon fils au train, la place et les rues autour de la gare sont complètement bloquées. En plus, mon fils ne peut pas prendre le bus pour aller à la gare parce que les bus n'ont pas de place réservée pour arriver devant la gare. Donc, c'était urgent de modifier ces connexions bus-train.
Après, l'intérieur de la gare est aujourd'hui terrible : seulement un kiosque pour les journaux, ouvert la journée et fermé le dimanche. Donc je vous félicite d'aménager le hall de gare avec une boulangerie, un café et une salle d'attente connectée. Il faut que la gare soit un lieu public moderne et agréable pour tous.
Enfin, quand je vois aussi le projet de la place devant la gare et de l'espace sans voiture jusqu'aux bus et au métro, je dis ENFIN ! et BRAVO ! Pour moi et pour tous les voyageurs, prendre le train va enfin devenir un plaisir.
Nombre de mots utilisés : 193 mots.

Exercice 6, p.99

Proposition de corrigé :
Je profite de ce formidable forum pour vous faire part de mon expérience d'échange. Quand j'étais élève au lycée, notre professeur a proposé d'avoir une correspondance avec une classe en Russie qui apprenait le français. Pendant une année, nous avons écrit et parlé par visioconférence avec nos correspondants et nous avons préparé ensemble notre voyage à Ekaterinbourg. En automne, l'année suivante, nous sommes allés là-bas

et nous avons vécu une expérience extraordinaire. J'ai fait la connaissance de la famille de mon correspondant où je suis resté une semaine. J'ai utilisé la langue russe au quotidien et j'ai découvert la vie de tous les jours et les repas traditionnels de la famille. Cela m'a permis d'être plus tolérant et être ouvert aux autres. Avec mon correspondant, nous nous sommes très bien entendus et il est venu aussi chez moi. Depuis cette période, j'ai gardé des contacts très forts avec la famille. Aujourd'hui, je vais tous les deux ans environ là-bas en vacances. C'est pourquoi un véritable échange international réussi doit motiver les jeunes à découvrir d'autres pays et d'autres cultures.
Nombre de mots utilisés : 179 mots.

Exercice 8, p.101

Proposition de corrigé :

J'ai eu la chance de partir à l'âge de 25 ans en Guyane où j'ai travaillé pendant six mois au Centre spatial de Kourou. J'avais fini mes études d'ingénieur en aéronautique et je voulais aussi travailler en français avec des collègues francophones. J'ai pu apprendre beaucoup dans mon métier mais surtout j'ai découvert d'autres habitudes de vie et de travail. Surtout, les conditions climatiques étaient difficiles parce que c'est une région de l'équateur mais j'ai profité des fins de semaine pour faire des excursions dans la forêt amazonienne.

Pour faire le choix de partir dans une autre région francophone du monde, il ne faut pas avoir peur de se sentir au début un peu perdu et de ne pas comprendre tout de suite les habitudes de vie. Il faut faire l'effort de parler aux gens avec qui on travaille mais aussi aux gens du pays qu'on rencontre dans la rue, dans les cafés ou sur les marchés. Les contacts avec les habitants ont été très intéressants. C'est une expérience inoubliable et très utile pour sa carrière !
Nombre de mots utilisés : 174 mots.

Exercice 9, p.101

Proposition de corrigé :

Nous sommes arrivés dans le quartier il y a cinq mois et on peut dire que c'est très difficile de s'intégrer. En effet, nous avons cherché une « maison de quartier » pour avoir des informations sur les associations culturelles et sportives et nous n'avons rien trouvé. Donc, nous souhaitons participer à la création d'une sorte de centre culturel de quartier où les gens pourraient venir se rencontrer et échanger leurs envies et leurs besoins. C'est parfait, votre initiative arrive au bon moment et nous sommes prêts à apporter notre contribution. Par exemple, on pourrait commencer avec la création d'un site interactif pour les habitants. Il faudrait très vite organiser une première réunion et pour cela, nous pouvons nous occuper de la création du site et distribuer des petits dépliants dans toutes les boîtes à lettres du quartier pour annoncer cette réunion. Vous devriez aussi prendre contact avec la mairie pour expliquer notre projet et ce serait bien si vous invitiez le maire à la première réunion pour qu'il échange avec nous, les habitants du quartier.
Nombre de mots utilisés : 176 mots.

Production orale

SE PRÉPARER

Activité 1, p.108

Question	1	2	3	4	5
Réponse	c	e	b	a	d

Activité 2, p.108

Victor Hugo est né à Besançon le 26 février 1802. Ses passions sont l'écriture, la poésie et le théâtre. Il était d'ailleurs poète, dramaturge, romancier et c'était aussi un critique et un homme politique. Son premier grand roman historique est *Notre-Dame de Paris*, publié en 1831. Il a écrit également le roman, très connu, *Les Misérables*, publié en 1862. Comme poésies, on peut citer *Les orientales* en 1829, *Les Rayons et les Ombres* en 1840, *Les Contemplations* en 1856. Il a obtenu un prix en 1819, celui de la poésie de l'Académie des jeux floraux de Toulouse. Dans cette biographie, on peut noter un élément particulier : Victor Hugo partira en exil d'abord sur l'île de Jersey, puis sur l'île de Guernesey.

Activité 3, p.109

A. n°4 - **B.** n°3 - **C.** n°4 - **D.** n°1 - **E.** n°1 - **F.** n°3 - **G.** n°1 - **H.** 2.

Activité 4, p.110

Positif :

Ce qui m'intéresse, c'est la montagne et plus particulièrement, partir en randonnée, l'hiver, en raquettes, l'été, avec un sac à dos, découvrir des sommets !

J'adore le saut en parachute, que de sensations !

J'aime (beaucoup) dormir. Faire une sieste chaque jour, c'est indispensable !

J'aime bien tous les insectes, à l'exception des araignées.

Ce qui me passionne, c'est la cuisine et plus particulièrement, les émissions de cuisine. Par contre, je ne suis pas très doué pour cuisiner de bons plats moi-même !

Négatif :

J'ai horreur de la natation. Je ne sais même pas nager d'ailleurs.

Je n'aime pas faire les valises pour partir en vacances ! Que c'est pénible !

Je déteste les gâteaux au chocolat. On ne m'en fera jamais manger, même une petite part !

Ce que je trouve horrible, c'est le genre de revues dit « people » qui, pour vendre, ne raconte que des mensonges.

Conseil pour la préparation de l'examen : Faites la liste des activités ou des choses que vous aimez et de celles que vous aimez moins ou pas du tout. Ainsi, vous n'aurez pas à réfléchir le jour de l'examen. Et vous pourrez vous concentrer sur votre production.

Activité 5, p.110

Qualités : organisé, exigeant, attentif, responsable, discipliné…

Défauts : autoritaire, impatient, colérique, introverti, timide…

Conseil pour la préparation de l'examen : Préparez-vous : Et vous, quelles sont vos qualités ou vos défauts ? Quel défaut détestez-vous le plus ?

Activité 6, p.111

Présentation générale du livre : *La petite fille à la balançoire* est une histoire vraie écrite par Frédérique Bedos, la protagoniste de l'histoire.

Résumé de l'histoire : Cette fille, dont la maman est malade mentalement, va être accueillie par un couple qui adoptent beaucoup d'enfants.

Thème principal de l'histoire : le thème principal de l'histoire, c'est l'adoption et donc l'amour.

Opinion sur le livre : Adeline a beaucoup aimé ce livre plein d'émotions.

Adjectifs pour qualifier le livre : *extraordinaire* (dans la présentation), *touchant* (ce que l'on comprend de ce qu'elle exprime), *vraie* (c'est une histoire vraie).

Mots pour exprimer l'émotion : *j'avais sans arrêt envie de pleurer et de rire en même temps, on a le sentiment de, beaucoup plu.*

Activité 7, p.111

Présentation générale du film : *Bis* est une comédie française récente.

Résumé de l'histoire : deux amis d'une quarantaine d'année, interprétés par les acteurs Kad Merad et Franck Dubosc, se réveillent un matin, de retour dans leur passé, quand ils avaient 17 ans.

Thème principal du film : les années 80 et l'adolescence, le retour dans le passé.

Opinion sur le film : Rémi a beaucoup aimé le film, surtout que lui-même est né dans les années 80.

Adjectifs pour qualifier le film : *rigolotes, drôles, belle, réussie.*

Mots pour exprimer l'émotion et l'opinion : *j'aime beaucoup, fonctionne très bien, ce qui m'a beaucoup touché, je trouve.*

Activité 8, p.112

1. b - 2. c - 3. a.

Activité 9, p.112

Depuis toujours, j'ai envie d'être pilote d'avion. *Quand j'étais plus jeune,* il y avait un aéroport à côté de la maison et je rêvais d'en piloter un. *À 17 ans,* j'ai fait mon premier stage dans une grande compagnie. *Il y a 18 mois,* j'ai rejoint une école à Toulouse. *L'année dernière,* j'ai piloté mon premier avion en tant que pilote diplômé. Et, *hier,* j'ai fêté cette première fois : déjà une année, le temps passe si vite

Activité 10, p.113

Ce matin, Mouna s'est réveillée tôt. Elle a cherché des informations sur Internet pour préparer une petite randonnée qu'elle voudrait faire aujourd'hui. Elle a préparé un repas à base de poisson qu'elle emmène avec elle. Cet après-midi, après sa promenade, elle prendra son vélo pour rencontrer une amie qui lui donne des cours de guitare. Enfin, ce soir, ses parents viendront dîner. Il faudra qu'elle prépare le repas. Une journée bien remplie en somme !

Activité 11, p.113

Sébastien et Anke aimeraient acheter une maison avec 4 chambres pour y loger leurs amis et y fonder leur famille. Ils voudraient trois enfants. Peut-être dans 5 ans, une fois qu'ils auront fini leurs études et qu'ils auront un travail. Pour Sébastien, dans l'informatique et pour Anke, en tant qu'infographiste. Ils voudraient bien avoir une voiture pour pouvoir partir en week-end et en vacances de temps en temps. Pour cela, Sébastien et Anke devront d'abord passer leur permis de conduire qu'ils n'ont pas encore. Sébastien doit commencer le code. Et Anke, qui l'a déjà eu, passera son permis dans deux ou trois mois.

Activité 12, p.113

Demain, c'est déjà la fin de l'année scolaire. *Cet été,* je souhaiterais partir en vacances avec des amis. *À la rentrée prochaine,* je vais commencer ma troisième année à l'université. Si tout va bien, *dans deux ans,* je serai diplômé. *Plus tard,* je voudrais voyager grâce à mon métier. Je ne voudrais *jamais* rester trop longtemps dans le même endroit. Mais *quand je serai à la retraite,* j'aimerais vivre définitivement dans le sud de la France !

Activité 13, p.114

Sujet 1 :
a. Un client (vous) à un employé (l'examinateur) : relation commerciale.
b. Vous.
c. Standard.
d. Expliquer / Convaincre / Exprimer un désaccord / Protester.
Sujet 2 :
a. Deux ami(e)s (vous et l'examinateur) : relation amicale.
b. Tu.
c. Familier.
d. Convaincre / Exprimer un désaccord / Proposer / Protester.
Sujet 3 :
a. Un élève (vous) et le directeur d'une école de langue (l'examinateur) : relation scolaire ou éducative.
b. Vous.
c. Formel.
d. Expliquer / Proposer / S'excuser.

Activité 14, p.115

	Situation 1	Situation 2	Situation 3
a.	Vous comprenez ?	Est-ce que vous me suivez ?	Est-ce que c'est clair ?
b.	Je suis désolé.	Je vous prie de nous pardonner.	Veuillez m'excuser.

Conseil pour la préparation de l'examen : Changez ces expressions en passant du « vous » au « tu ». Vous devez être capable d'être à l'aise dans le vouvoiement comme dans le tutoiement.

Activité 15, p.115

– Bonjour, Monsieur ! Puis-je vous aider ?
– Oui, nous sommes intéressés par la visite du château. Et je suis un peu perdu. *Pourriez-vous me renseigner sur les tarifs, s'il vous plaît.*
– *Bien sûr !* 15 euros par adulte. De 4 à 15 ans, c'est 10 euros. L'entrée est gratuite pour les enfants de moins de 4 ans.
– Très bien ! Nous sommes 2 adultes et 3 enfants, dont un de moins de 4 ans, ce qui ferait 50 euros, c'est bien ça ?
– *Oui, tout à fait !*

– J'ai une autre question à vous poser : *pouvez-vous me dire* si nous pouvons pique-niquer sur place ? J'ai vu sur votre site qu'il y avait une zone prévue à cet effet mais je n'ai pas compris si elle était à l'intérieur du château ou s'il fallait ressortir ? *Qu'en dites-vous ?*

– Vous pouvez tout à fait manger sur place, en effet ! L'espace prévu à cet effet se trouve bien à l'intérieur du château.

– Merci beaucoup ! *Tout est clair*, maintenant !

– Vous voulez d'autres informations ?

– Non, merci ! C'est parfait !

– Au revoir !

– Au revoir, Monsieur !

Activité 16, p.116

– Allô Michel ?

– Allô !

– C'est Catherine, au téléphone. Je t'appelle concernant ta soirée d'anniversaire. Je suis vraiment désolée, je ne vais pas pouvoir venir. Je vais t'expliquer pourquoi : en fait, *j'ai eu une grosse fuite dans ma salle de bain et j'ai appelé d'urgence un copain plombier qui accepte de venir me dépanner après sa journée de travail. Et ça risque de prendre du temps !*

– Je suis déçu mais je comprends bien. Ce n'est que partie remise !

– Oui, tout à fait !

– On se voit demain au travail !

– À demain !

Activité 17, p.116

1	2	3	4	5	6
d	b	c	f	a	e

Activité 18, p.116

– Moi, je trouve qu'il y a beaucoup trop d'émissions sur la cuisine en ce moment ! Et justement, on a l'occasion de regarder tout autre chose avec le programme de M6.

– Je comprends mais les candidats changent chaque semaine, donc ce sera peut-être différent de ce que tu as pu déjà voir ! Allez, laisse-toi tenter !

– Écoute ! On regarde l'émission de M6 aujourd'hui et demain, ce sera toi qui décideras du programme. On va bien rigoler, tu verras ! Ce n'est pas devant une émission culinaire qu'on pourra faire ça, tu es d'accord, non ??

Activité 19, p.117

Avec ces 10 000 euros, tu pourrais t'acheter une nouvelle voiture, la tienne est déjà bien vieille et tu as toujours des pièces à changer.

Pourquoi pas investir pour plus tard et t'acheter une belle et grande maison ?

Pourquoi ne partirais-tu pas en voyage aux États-Unis, tu en as toujours rêvé ?

Conseil pour la préparation de l'examen : Notez les trois structures proposées dans le corrigé pour donner des conseils.

Activité 20, p.117

b. Bravo ! Tu as réussi !

d. Quel travail ! Félicitations !

e. Allez, courage ! Tu vas y arriver !

Activité 21, p.117

1. a. - 2. c. - 3. a. - 4. b. - 5. a. - 6. c. - 7. a.

Activité 22, p.118

a. - b. - d. - f.

Activité 23, p.118

1. a. - 2. c. - 3. b.

Conseil pour la préparation de l'examen : Ne faites pas l'impasse sur la phonétique, travaillez vos points faibles et entraînez-vous à parler à haute voix.

Activité 24, p.119

1. Un article de presse.

2. De la colocation.

3. Les colocataires sont autant des étudiants que des personnes dans la vie active.

4. Pour parler de : En ce qui concerne.

Pour exprimer la cause : puisque.

Pour exprimer la conséquence : Alors - Le résultat de tout cela.

Pour conclure : Pour finir.

5. Pour parler de : concernant.

Pour exprimer la cause : comme - à cause de (= cause « négative ») - grâce à (= cause « positive ») - car.

Pour exprimer la conséquence : par conséquent - donc - c'est pourquoi.

Pour conclure : En conclusion.

Activité 25, p.120

1. *Concernant* les personnes à la retraite, elles ne représentent que 1 % des colocataires français au premier trimestre 2016.

2. *Par conséquent,* le pourcentage des colocataires de plus de 40 ans évolue.

3. Et *comme* on a maintenant plusieurs catégories de locataires, la demande augmente.

4. *Pour conclure / En conclusion / Pour terminer,* notons que si on compare la location individuelle à la colocation, on fait une économie avec cette dernière d'environ 30 % avec un loyer mensuel d'environ 460 euros.

Activité 26, p.120

1. L'interdiction récente de circuler à Paris avec de vieux véhicule.

2. Un automobiliste : Un conducteur - Une pénalité : Une sanction - Être contraint : Être forcé - Réduire : Diminuer - Être pénalisé : Être défavorisé - Se déplacer : Circuler.

Activité 27, p.121

1. « données » (nom féminin) : informations.

« n'a de cesse de » : n'arrête pas de.

« affirme » : assure.

« contredite » : niée.

2. « les internautes » : les personnes qui vont sur Internet.

3. afin de.

Activité 28, p.122

1. pour + infinitif.

2. pour que + subjonctif.

3. Dans le but de - dans l'intention de - afin de + infinitif et afin que + subjonctif.

Activité 29, p.122

1. J'aime beaucoup le réseau social Facebook, mais *je préfère Twitter*.
2. Je vais sur Facebook tous les jours au moins 1 heure à chaque fois. Je complète mon profil, j'ajoute des informations sur ce que je fais. En revanche, *j'évite de mettre en ligne trop de photos personnelles, surtout de mes enfants !*
3. J'ai lu un article récent sur le fait que Facebook espionnerait ses utilisateurs. Je suis absolument scandalisé, *cependant on peut s'interroger sur les raisons de cette nouvelle polémique.*
4. Encore une nouvelle polémique avec le réseau social Facebook alors qu'*il voudrait donner une image tout à fait transparente.*

Activité 30, p.123

1. Il s'agit d'un article de presse
Il parle de la robotisation qui touche le secteur professionnel.
L'idée principale présentée dans ce texte est la suivante : la robotisation prend de l'ampleur, même dans les secteurs où l'on ne l'attendait pas.
2. Les robots vont finir par remplacer les gens et menacent ainsi leur métier.
3. **Pour :** 1. Faciliter la vie. 2. Supprimer les tâches difficiles. 3. Améliorer le confort.
Exemple : voitures automatisées.
Contre : 1. Dégradation des relations humaines. 2. Suppression d'emplois, de métiers. 3. Dégradation de l'environnement.
Exemple : 4 emplois sur 10 seraient automatisés dans les 20 ans.

Activité 31, p.124

Partager le même avis :
2. Je suis tout à fait d'accord ; les émissions culturelles n'intéressent plus que quelques chaînes !
3. Je suis du même avis que toi : les éoliennes sont l'avenir !
5. Je partage votre opinion : de nouveaux métiers vont voir le jour et pour cela, rien de tel que les indépendants qui répondront d'autant mieux à la demande. Il faudrait d'ailleurs mieux valoriser ce statut.
Être en désaccord et apporter une nuance :
1. Je ne suis pas d'accord avec vous, il n'y a qu'à voir le succès de l'Euro 2016 !
4. Il est vrai que l'on attend peut-être beaucoup d'un élève aujourd'hui et que sa journée d'école est bien longue, cependant, je trouve que le niveau n'est pas pour autant meilleur.

Activité 32, p.125

1. Dire que c'est génial me paraît un peu exagéré. La population mondiale va vite doubler avec tous ces robots ! Où va-t-on pouvoir les mettre ? On devra, par exemple, créer des places spéciales stationnement-robots. Ce qui ne va pas nous simplifier la vie quand on voit combien c'est déjà difficile pour nous de nous garer.
2. Je suis tout à fait d'accord, que deviendront les relations humaines ? Les gens passent déjà leur temps coupés du monde sur leurs écrans. Prenons le dernier jeu Pokemon, par exemple. Plus personne ne se regarde dans la rue. Je déteste ce monde trop virtuel. Et ce ne sont pas les robots qui vont résoudre ce problème.

3. Il est difficile de pouvoir se projeter de manière catégorique sur la place des robots dans quelques années mais par contre, je suis certain qu'il y aura moins d'emplois. Par exemple, prenons n'importe quel poste : je pense qu'une machine pourrait remplacer au moins un tiers des tâches de ce poste.

S'ENTRAÎNER

Exercice 2, p.128

Exemple de présentation :
Bonjour, je m'appelle Leandra Rocha, je suis Brésilienne. Je suis née à Fortaleza, c'est une grande ville au nord-est du Brésil, connue pour ses plages, ses commerces et son activité culturelle. J'ai 38 ans, je suis mariée et j'ai deux enfants : William et Rosilmar. Ils ont 16 et 18 ans et ils étudient au lycée. Mon mari, Periandro, est informaticien dans une entreprise de transports.
Je travaille comme assistante de direction depuis 5 ans dans une grande entreprise agroalimentaire. J'adore mon travail. Je m'occupe des appels téléphoniques, des emplois du temps des salariés. Je participe souvent à l'organisation d'événements. D'ailleurs, c'est ce que je préfère dans mon travail.
En dehors du travail, j'aime faire du sport. Je fais du pilates, du volley-ball et je vais souvent courir sur la plage. Le week-end, j'aime passer du temps avec mes enfants. Nous allons parfois au cinéma, au théâtre ou nous sortons dîner chez des amis. J'adore voyager. Depuis quelques années, j'essaie de mieux connaître mon pays. J'ai voyagé dans le Minas Gerais et le Rio grande do Sul. Ce que j'ai préféré, ce sont les chutes d'Iguaçu. C'est vraiment spectaculaire.
Plus tard, quand mes enfants seront à l'université, j'aimerais partir un ou deux ans en famille vivre en France. Je suis déjà en contact avec quelques entreprises qui recherchent des personnes parlant portugais. Mais bien sûr, avant tout, je dois améliorer ma connaissance du français !
Exemple de réponses sur les questions de l'examinateur :
Sur le passé :
– Où avez-vous passé vos dernières vacances ?
J'ai passé mes dernières vacances dans le parc national des Lençóis. C'est un endroit superbe, dans l'État du Maranhão. C'est un désert immense de dunes blanches, de sable fin, avec des lagunes d'eau claire, au bord de la mer. C'est magique. Nous sommes partis en famille, nous avons traversé à pied le parc pendant 3 jours en dormant chez l'habitant, dans des hamacs. C'était extraordinaire.
– Parlez-moi de ce que vous avez fait le week-end dernier.
Le week-end dernier, je suis restée à Fortaleza. Je suis allée faire les soldes avec ma fille. Nous avons passé une partie du samedi au centre commercial. Puis, nous sommes rentrées à la maison et nous avons dîné ensemble. Mes enfants sont sortis voir des amis. J'ai regardé un film avec mon mari. Le lendemain, nous sommes allés chez mes beaux-parents pour déjeuner.
– Parlez-moi de vos études lorsque vous étiez plus jeune.
Quand j'étais petite, je n'aimais pas trop aller à l'école. Les professeurs étaient sévères et je détestais certaines matières comme l'histoire et les mathématiques. Heureusement que j'avais une amie, Izabel, avec qui je

m'entendais très bien. J'ai vraiment commencé à aimer les études, quand j'ai pu choisir ce que je voulais faire.

Sur le présent :

– Parlez-moi de vos passe-temps préférés.

Comme je le disais tout à l'heure, j'adore le sport. Je vais 3 fois par semaine à mon cours de pilates. Cela fait plusieurs années que je pratique cette activité et je trouve que cela me fait beaucoup de bien. Je me sens plus musclée et plus souple. J'aime aussi me lever très tôt, vers 5 h 30-6 h, pour aller courir sur la plage. C'est un moment spécial, il y a peu de monde et la mer est magnifique.

J'aime aussi la culture, visiter des musées, voir des expositions, écouter de la musique.

– Décrivez-moi une de vos journées ordinaires.

Je me lève en général tôt pour avoir le temps de me préparer et parfois de faire un peu de sport. Ma journée de travail commence à 9 h. Quand j'arrive, je commence par lire mes messages, classer le courrier et organiser les rendez-vous. Je déjeune avec mes collègues dans l'un des restaurants du quartier. Je retourne travailler jusqu'à 19 h environ. Je rentre alors chez moi pour dîner et profiter un peu de ma famille.

– Parlez-moi du lieu où vous vivez.

Le quartier où j'habite est très agréable. J'y vis depuis plus de 7 ans. C'est très moderne. Je vis dans un grand appartement au 15e étage de l'immeuble. Nous avons une très belle vue sur la mer. Il y a beaucoup de commerces aux alentours pour faire ses courses et de lieux où sortir.

Exercice 3, p.128

Exemple de présentation :

Bonjour, je m'appelle Mika, je suis japonaise. J'ai 30 ans. Je suis en France depuis 6 mois. Je suis venue vivre ici avec mon mari, Fuhimiko, et mon fils, Kaito qui a 6 ans. Nous vivons à Paris, dans le 14e arrondissement. Nous louons un appartement avec 2 chambres, un salon, une cuisine et une salle de bains. J'aime beaucoup mon quartier car il y a plein de magasins, de lignes de métro et de bus. C'est très pratique.

Dans mon temps libre, j'aime aller dans les jardins publics avec mon fils. Nous y retrouvons ses amis d'école et leurs parents. Je vais souvent à la piscine et je fréquente une salle de sports 2 fois par semaine. Et puis, quand nous avons envie de voir un film, nous louons un DVD dans le magasin près de chez nous.

Mon mari et moi, nous travaillons dans un restaurant japonais. Je suis en salle, pour le service, et lui, il est en cuisine. C'est un restaurant spécialisé dans le râmen. Ce sont des nouilles préparées avec de la farine de blé, du bouillon de viande ou de poisson, de légumes et d'herbes. C'est délicieux et très nourrissant !

Pour l'instant nous sommes employés mais plus tard, nous aimerions ouvrir notre propre restaurant en France. Nous aimons beaucoup ce pays et nous souhaitons rester ici.

Exemple de réponses sur les questions de l'examinateur :

Sur les projets :

– Pourriez-vous me parler plus précisément de votre travail (ou de vos études) ?

Je travaille comme serveuse depuis 2 ans. J'ai commencé au Japon d'abord et depuis 6 mois, je continue en France. C'est un métier difficile car il faut être rapide, efficace, il faut savoir conseiller les clients et avoir beaucoup d'énergie. Mais j'aime beaucoup ce travail car je rencontre beaucoup de monde. Je pense continuer à faire ce travail encore quelques années.

– Quels sont vos projets pour cette année ?

Cette année, je pense qu'on va rester à Paris. Nous n'irons pas au Japon pour les vacances. Notre objectif est d'améliorer notre connaissance du français. Nous voulons avoir un niveau C1 assez vite. Notre fils, Kaito, nous apprend beaucoup de mots et d'expressions. C'est drôle ! Il a appris très facilement la langue et il n'a aucun problème pour se faire de nouveaux amis.

– Comment voyez-vous votre avenir dans 5 ans ?

Si tout va bien, dans 5 ans, nous aurons la possibilité d'ouvrir notre propre restaurant. Mon mari et moi sommes venus en France avec ce projet mais on voulait d'abord commencer par travailler comme employés dans un restaurant pour connaître les clients. Nous avons des économies et nous louons notre appartement au Japon pour vivre ici plus tranquillement. J'espère aussi qu'on aura un deuxième enfant, mais je ne sais pas quand.

– Quel pays rêveriez-vous de visiter ?

Je rêve d'aller en Nouvelle-Zélande. C'est un pays qui m'a toujours attirée. La nature, les paysages, les animaux, la gentillesse des habitants, je suis sûre que j'adorerais passer quelques semaines là-bas. Depuis qu'on vit à Paris, c'est un rêve un peu difficile à réaliser car c'est très loin d'ici et très cher. Peut-être plus tard, quand notre restaurant fonctionnera et qu'on pourra le laisser seul quelques temps !

– Quel serait votre travail idéal ?

Je ne sais pas vraiment quel serait mon travail idéal. J'aime ce que je fais actuellement. C'est vrai que j'ai envie d'avoir mon propre restaurant, mais cela ne changera pas vraiment mon quotidien. Je crois que mon mari aurait aimé travailler dans la marine quand il était plus jeune. Personnellement, je suis contente qu'il ait choisi autre chose. Je n'aurais pas aimé qu'il soit absent pendant de longs mois !

Exercice 5, p.131

L'examinateur joue le rôle de votre ami français. Vous jouez le rôle de la personne qui passe une semaine de vacances avec votre ami et sa famille.

Éléments de discussion :

Vous décidez de parler à votre ami. Vous lui dites à quel point vous êtes content de passer du temps avec lui, de mieux connaître sa famille. Mais vous lui rappelez que vous aussi, vous êtes en vacances et que vous aimeriez vous reposer un peu. Vous lui présentez le problème qui se pose : les repas. Vous lui expliquez qu'il est important de partager les tâches (faire les courses, préparer les repas) et les dépenses. Vous lui proposez de donner à chacun une tâche précise à faire pendant toute la semaine (l'un fait le ménage, l'autre fait les courses, etc.). Vous pouvez aussi proposer de faire un programme et d'organiser des tours (un jour les courses, le lendemain les repas, etc.). Vous insistez sur le fait que le fait de faire la cuisine à tour de rôle permet de goûter de nouvelles recettes et d'échanger sur vos cultures.

Exercice 6, p.131

L'examinateur joue le rôle du professeur. Vous jouez le rôle de l'étudiant.

Éléments de discussion :

Vous rencontrez votre professeur. Vous lui parlez de

votre projet d'apprentissage du français. Vous expliquez pourquoi vous êtes venu étudier à Nice dans cette école. Vous lui parlez de ce qui vous ennuie dans le cours et plus précisément du fait que le professeur utilise la langue anglaise pour expliquer certains points du cours. Vous lui expliquez d'abord que tout le monde n'est pas à l'aise avec l'anglais et donc que le fait d'utiliser cette langue n'est pas juste pour ceux qui la maîtrisent peu.

Vous lui dites que lorsque vous avez commencé à apprendre le français, votre professeur a toujours utilisé la langue française dans le cours. Vous insistez sur le fait que vous pensez que c'est la meilleure manière de progresser. Vous lui donnez des conseils pour éviter l'anglais : dessins, gestes, définitions, synonymes, Internet, etc.

Exercice 8, p.134

Éléments de discussion possibles :

– Définir le rôle de la famille : éducation, solidarité, entraide.
– Évoquer des actions concrètes de solidarité familiale (aides aux études, aides financières, logement, santé, etc.).
– Parler de la situation dans son pays et comparer avec la France : similitudes, différences, évolutions.
– Évoquer ce que l'on serait prêt à faire pour sa famille.

Exercice 9, p.135

Éléments de discussion possibles :

– Parler du rôle d'Internet dans la diffusion des informations (avantages et inconvénients) et de l'évolution du rôle d'Internet depuis 20 ans.
– Expliquer qu'il est important d'avoir ce type de projet comme le Wikiconcours dans les écoles et lycées car cela permet d'éduquer les jeunes à l'utilisation des médias. C'est aussi un moyen de leur montrer comment s'informer sur le monde et de développer des compétences numériques.
– Parler de la situation dans son pays ou de son expérience sur l'utilisation des encyclopédies (papier, numériques).

ÉPREUVE BLANCHE 1
OPTION TOUT PUBLIC

Compréhension de l'oral

Dans les épreuves de compréhension écrite et orale, l'orthographe et la syntaxe ne sont pas prises en compte, sauf si elles altèrent gravement la compréhension. Le correcteur acceptera les réponses données ci-dessous et toute reformulation ou réponse cohérente avec la question posée.

Exercice 1, p.140

1. **c.** Suivre un autre parcours universitaire.
2. **b.** La difficulté des cours.
3. **a.** Suivre des cours à domicile.
4. **c.** A les idées claires sur son avenir.
5. Payer des cours privés pour (continuer à) étudier.
6. **a.** Choisit d'en reparler plus tard.

Exercice 2, p.141

1. **a.** Des modes de recrutement.
2. **b.** Donne des résultats satisfaisants.
3. (Les demandeurs d'emploi) les plus âgés ET les moins diplômés.
4. **b.** Publient leurs offres d'emploi en ligne.
5. Les loisirs ET les achats ET les rencontres personnelles.
6. **Réponse possible :** les candidats pourront contacter les employeurs directement OU les candidats pourront être rapidement informés de la décision des employeurs.

Exercice 3, p.142

1. **a.** D'utiliser des objets.
2. **Réponse possible :** des produits électroménagers OU des produits hi-fi OU des produits multimédia OU des objets de nouvelles technologies OU des téléphones OU des tablettes.
3. **Réponse possible :** ils évoluent rapidement OU ils ont une durée de vie très courte OU leurs compétences (technologiques) deviennent vite limitées.
4. **c.** Réagissent en offrant de nouveaux services.
5. **b.** Écologiques.
6. Parce que plus leurs produits seront utilisés longtemps, plus leur activité financière sera positive.
7. **a.** Solides.
8. **a.** L'utilisation des objets.

Compréhension des écrits

Exercice 1, p.143

0,5 point par case cochée, 0 si les deux cases « Convient » et « Ne convient pas » sont cochées.

	OFFRE N°1 L'Abri du voyageur		OFFRE N°2 Maison Duverny		OFFRE N°3 Appart'Hôtel		OFFRE N°4 La Demeure sacrée	
	Convient	Ne convient pas	Convient	Ne convient pas	Convient	Ne convient pas	Convient	Ne convient pas
Situation	X			X	X		X	
Internet	X		X			X	X	
Petit-déjeuner		X	X			X	X	
Dîner		X	X			X	X	
Contacts avec les propriétaires	X			X		X	X	

2. **Offre n°4 :** La Demeure sacrée

Exercice 2, p.145

1. **c.** Un nouveau fonctionnement de la médecine.
2. Les progrès des technologies de l'information et de la communication.
3. **a.** Faux. « La télémédecine regroupe plusieurs façons de travailler. »

b. **Faux.** « Cette dernière se fait en présence du patient, toujours accompagné d'un professionnel de santé. »

c. **Vrai.** « La télémédecine peut également être utilisée dans les hôpitaux comme téléassistance. »

d. **Vrai.** « Il y a enfin la télésurveillance médicale, qui permet de suivre à distance un patient grâce à des appareils installés dans son habitation. »

4. **b.** Tout le monde peut être soigné.

5. **b.** Complète la structure médicale classique.

6. Il devra juste penser à prévoir un temps réservé aux téléconsultations dans l'agenda.

7. **c.** La vieillesse.

8. **a.** Est une solution satisfaisante.

Production écrite

Proposition de corrigé :
Bonjour !
J'ai lu votre appel à témoignages et j'ai tout de suite voulu participer car j'ai fait cette expérience. Il y a deux ans, j'ai eu une licence de sociologie mais j'étais complètement perdue. Alors, j'ai préféré faire une pause d'un an pour réfléchir et essayer de comprendre ce que je voulais faire.
Mon année ne s'est pas du tout passée comme prévu. Je voulais faire du volontariat mais je n'ai trouvé aucune association pour m'accueillir. Pendant les 4 premiers mois, la situation a été très difficile et je ne supportais pas de rester à ne rien faire chez mes parents.
Heureusement, j'ai découvert le métier de journaliste et j'ai fait des stages dans des rédactions. J'ai tout de suite adoré cette profession et cela m'a donné envie d'entrer dans une école de journaliste.
Finalement, je pense que cette année de pause a été très positive pour mon avenir. J'ai l'impression d'avoir beaucoup progressé. Aujourd'hui, j'étudie la communication et je suis complètement satisfaite. Je crois que quand on est curieux, on arrive toujours à faire quelque chose de bien !

Production et interaction orales

Exercice 2, p.148

Sujet 1
L'examinateur joue le rôle du professeur. Vous jouez le rôle de l'étudiant.
Éléments de discussion :
Vous expliquez la situation et vous montrez les limites du travail individuel.
Vous proposez à votre professeur d'organiser des activités à faire en groupe (présentations, recherches, dossiers, etc.). Vous expliquez que ce type de travail est nécessaire pour votre formation. Vous mettez en avant les qualités que l'on développe lorsqu'on travaille en équipe (écoute, patience, qualité du travail, etc.). Vous pouvez aussi expliquer que dans la vie active, les personnes travaillent surtout en équipe et que proposer ce type d'activités à l'université vous prépare à votre future vie professionnelle.

Sujet 2
L'examinateur joue le rôle de l'ami français. Vous jouez le rôle de la personne qui accueille votre ami et sa famille.

Éléments de discussion :
Vous demandez à parler à votre ami. Vous lui expliquez que vous êtes content de le recevoir chez vous mais que vous aimeriez passer plus de temps avec lui.
Vous lui expliquez que son rythme de vie ne vous permet pas de faire des sorties ensemble. Vous lui montrez aussi qu'il rate de nombreuses activités typiques de chez vous en se levant aussi tard.
Vous essayez de trouver une solution en proposant une ou deux journées à passer ensemble avec des horaires qui conviennent à tous.

Sujet 3
L'examinateur joue le rôle du collègue. Vous jouez le rôle de la personne qui veut changer la situation.
Éléments de discussion :
Vous rencontrez votre collègue. Vous lui parlez de la situation. Vous donnez des exemples précis de projets et dossiers que vous avez dû finir seul. Vous essayez de comprendre s'il y a un problème entre vous ou si lui-même a des difficultés particulières.
Vous lui proposez de partager le travail de façon précise en tenant compte de ce qu'il aime faire, de ses dates de disponibilité, etc.

Sujet 4
L'examinateur joue le rôle du voisin. Vous jouez le rôle de la personne énervée par les nombreux touristes qui viennent loger dans l'immeuble.
Éléments de discussion :
Vous rencontrez votre voisin, vous demandez de ses nouvelles. Vous le questionnez sur la location qu'il propose aux touristes (fréquence, durée, prix, etc.). Vous lui expliquez que vous comprenez qu'il ait besoin de louer son appartement mais vous évoquez tous les problèmes que vous rencontrez (bruit dans l'escalier, fêtes tard la nuit, poubelles abandonnées, bagages laissés sur le palier, etc.). Vous essayez de le convaincre d'expliquer aux touristes les conditions de vie dans l'immeuble. Vous lui proposez de l'aider à écrire un règlement.

Exercice 3, p.149

Document 1
Questions possibles de l'examinateur :
Aimeriez-vous gagner de l'argent dans ces conditions ?
Que pensez-vous de l'idée de travailler en faisant de la publicité ?
Quelles sont les limites de ce type de travail ?
Pensez-vous que ce type d'activité puisse exister dans votre pays ?
Quels sont les avantages à se déplacer à vélo ?

Document 2
Questions possibles de l'examinateur :
Que pensez-vous de cette proposition de loi ?
Quel est l'âge minimum pour donner son avis d'après vous ?
Que pensez-vous de la limitation de l'âge pour certains droits (permis de conduire) ?
Ceux qui ont plus de 18 ans ont-ils vraiment plus de liberté pour faire un choix politique ? L'influence de la famille, des amis n'est-elle pas aussi forte ?

Document 3
Questions possibles de l'examinateur :

Avez-vous déjà travaillé en dehors de votre bureau ?
Pour quelles raisons ?
Quels sont les avantages et les inconvénients du travail chez soi selon vous ?
Comment permettre l'équilibre entre vie personnelle et vie professionnelle ?

Document 4
Questions possibles de l'examinateur :
Quelles études avez-vous faites ?
Avez-vous eu l'occasion de travailler durant vos études ?
Pour quel type de métier est-il intéressant de suivre une formation en alternance ?
Quelle est la situation dans votre pays ? Y a-t-il beaucoup d'étudiants en alternance ? Est-ce que ce type de formation est en progression ou au contraire en recul ?

ÉPREUVE BLANCHE 2
OPTION PROFESSIONNELLE

Compréhension de l'oral

Dans les épreuves de compréhension écrite et orale, l'orthographe et la syntaxe ne sont pas prises en compte, sauf si elles altèrent gravement la compréhension. Le correcteur acceptera les réponses données ci-dessous et toute reformulation ou réponse cohérente avec la question posée.

Exercice 1, p.151

1. **b.** Se rencontrent pour la première fois à l'école.
2. **b.** S'occuper d'ateliers certains jours.
3. Apprendre à s'amuser en groupe / développer leur esprit d'équipe (et leur solidarité).
4. **b.** Montent sur scène après trois mois.
5. **a.** Des cours artistiques.
6. Un rapport sur les activités (0,5 point) / progrès de chaque enfant (0,5 point).

Exercice 2, p.152

1. **c.** Pour présenter… de nouvelles règles.
2. **b.** L'encouragement à venir à vélo.
3. **c.** De faire un cadeau aux salariés éco-responsables.
4. Éteindre les ordinateurs et les lampes.
5. Pour que les salariés séparent / trient / sélectionnent les déchets.
6. Apprendre des gestes écologiques et des nouveaux comportements.

Exercice 3, p.153

1. **c.** Entre un responsable et un représentant du personnel.
2. **b.** La possibilité de travailler en partie chez soi.
3. Libre choix des salariés de travailler quand ils le veulent.
4. **c.** Le personnel est capable de s'adapter au travail.
5. **a.** Peut être fait parfois… à la maison.
6. Sur une année, 10 % du temps de travail à domicile.
7. **a.** De la vie personnelle des salariés.

8. Interroger les salariés pour connaître les moments où ils souhaitent être à la maison pour travailler / proposer un emploi du temps possible par équipe.

Compréhension des écrits

Exercice 1, p.154

1.

	OFFRE N°1 *Bel été*		OFFRE N°2 *Foyer du jeune travailleur*		OFFRE N°3 *World Students*		OFFRE N°4 *45 rue Lecocq, 4e étage*	
	Convient	Ne convient pas	Convient	Ne convient pas	Convient	Ne convient pas	Convient	Ne convient pas
Prix		x	x		x		x	
Services	x			x	x		x	
Confort	x			x	x		x	
Durée		x	x			x	x	
Situation	x		x			x	x	

2. **Offre n°4** : *45 rue Lecocq, 4e étage*

Exercice 2, p.156

1. **b.** Fait la description d'un métier.
2. **a.** De chauffeur privé.
3. Mobilités modernes de plus en plus fréquentes
4. **a.** Vrai. **Justification** : « Savoir lire des cartes routières et programmer correctement son GPS. »
b. Faux. **Justification** : « L'itinéraire prévu peut être modifié… et le chauffeur doit être capable de trouver très vite une solution. »
c. Vrai. **Justification** : « Prendre soin de la mécanique de son automobile et suivre les instructions d'entretien. »
d. Faux. **Justification** : « Avoir une relation aimable et professionnelle / être capable de travailler dans le stress et garder son calme. »
5. Emploi du temps irrégulier ou décalé.
6. **b.** Une formation professionnelle est nécessaire.
7. **b.** Passer un contrôle pour le permis de conduire des personnes.
8. **a.** De travailler comme livreur.

Production écrite

Proposition de corrigé :
Voici le compte rendu de mon voyage professionnel en France du 5 au 11 juin dernier.
Lundi, j'ai pu rencontrer deux clients à Bordeaux. La première réunion s'est déroulée chez le client au bureau des achats. L'ambiance était très bonne et nous avons bien avancé nos projets. J'ai invité le responsable des achats au restaurant à midi. L'après-midi, la rencontre avec le second client a été compliquée. Nous devrons continuer les négociations à distance.
Mardi, j'ai passé toute la journée à Nantes avec notre plus gros client français. Il a signé les contrats de

production. J'ai visité l'usine qui est très moderne et très bien équipée. Un client à garder absolument !

Mercredi et jeudi, au salon professionnel de Paris, j'ai fait la connaissance de nouveaux partenaires et j'ai rapporté de nombreux nouveaux contacts qui attendent de connaître notre stratégie de développement.

Vendredi, je suis allé à Lyon voir les financeurs français et suisses. Ils ont été très intéressés par notre demande de crédits et ils nous donnent leur réponse dans deux semaines. Je suis confiant.

En conclusion, les voyages professionnels sont essentiels pour comprendre ses partenaires.

Production et interaction orales

Exercice 2, p.159

Sujet 1
L'examinateur joue le rôle du responsable. Vous jouez le rôle de l'employé au guichet.

Éléments de discussion :

Vous demandez des explications au responsable : pourquoi le match est-il annulé ?

Vous expliquez que vous travaillez avec un contrat qui précise votre temps de travail et votre salaire.

Vous exprimez votre mécontentement parce que ce n'est pas votre responsabilité si le match est annulé. Vous réclamez votre salaire.

Vous pouvez proposer de ranger ou de fermer le stade au lieu de rester au guichet.

Sujet 2
L'examinateur joue le rôle du responsable de magasin. Vous jouez le rôle de l'employé du supermarché.

Éléments de discussion :

Vous expliquez que vous ne pourrez pas être là à 4 h 30 le matin parce que le service de bus ne commence qu'à 5 h. Vous n'avez pas d'autres moyens de transport.

Vous proposez de commencer à 5 h 30 la semaine prochaine et de finir une heure plus tard.

Sinon, vous acceptez de venir à l'heure si un collègue peut vous emmener.

Sujet 3
L'examinateur joue le rôle du responsable de stage. Vous jouez le rôle du stagiaire.

Éléments de discussion :

Vous expliquez que vous êtes en stage pour trois mois et qu'après les vêtements ne seront plus utiles.

Vous n'êtes pas d'accord pour acheter un équipement de travail : un ingénieur n'achète pas son ordinateur, un médecin ou un infirmier n'achètent pas le matériel médical…

Vous pouvez aller à la boutique si le laboratoire vous rembourse le prix des vêtements achetés.

Sujet 4
L'examinateur joue le rôle du responsable de bureau. Vous jouez le rôle du salarié.

Éléments de discussion :

Vous remerciez pour le confort du nouveau bureau.

Vous exprimez votre désaccord avec l'installation des distributeurs de boisson.

Vous exprimez votre mécontentement à cause du bruit et des discussions pendant les pauses café.

Vous proposez de déplacer les machines dans le couloir ou une salle adaptée.

Exercice 3, p.160

Document 1
Questions possibles de l'examinateur :

Quels sont les avantages du covoiturage au quotidien, en vacances, en famille… ?

Avez-vous déjà fait du covoiturage ou aimeriez-vous en faire ?

Pensez-vous que ce style de déplacement pourrait se faire dans votre pays ?

Quel peut être le défaut ou le risque de ce système ?

Document 2
Questions possibles de l'examinateur :

Quels sont les inconvénients d'avoir des outils connectés en permanence avec son travail ?

Quel avantage peut avoir une entreprise « libérée » des obligations horaires ?

Seriez-vous prêt à travailler « librement » sans horaire, à votre rythme pour une entreprise ?

Le temps de travail contribue-t-il à bien séparer vie personnelle et vie professionnelle ?

Document 3
Questions possibles de l'examinateur :

Quelles sont les difficultés quand on invite à table un partenaire commercial ?

Êtes-vous d'accord avec les « repas d'affaires » ?

Quel est l'avantage de manger et de négocier en même temps ?

Avez-vous déjà fait cette expérience ou aimeriez-vous la faire ?

Document 4
Questions possibles de l'examinateur :

Quelles raisons peuvent expliquer l'utilisation d'Internet dans un but personnel au bureau ?

Pensez-vous qu'il faut interdire l'utilisation d'Internet pour des services personnels au bureau ?

Êtes-vous d'accord pour contrôler les sites visités par un employé au bureau ?

Quel peut être l'avantage d'autoriser l'utilisation « raisonnable » d'Internet pour des raisons personnelles au bureau ?